И. Б.
1907.

РУССКИЕ
НАРОДНЫЕ
СКАЗКИ

RUSSIAN
FAIRY
TALES

Literatura Publishers

MOSCOW

ББК 84(2)
Р89

Russian fairy tales

Complited by A. Afanasiev
Illustrations by I. Bilibin
Translated from Russian by A. Zamchuk

ISBN 5-7842-0062-3

Sister Alionushka and brother Ivanushka

Жили-были себе царь и царица. У них были сын и дочь, сына звали Иванушкой, а дочь Аленушкой. Вот царь с царицею померли. Остались дети одни и пошли странствовать по белу свету.

Шли, шли, шли... идут и видят пруд, а около пруда пасется стадо коров.

— Я хочу пить,— говорит Иванушка.

— Не пей, братец, а то будешь теленочком,— говорит Аленушка.

Он послушался, и пошли они дальше. Шли, шли и видят реку, а около ходит табун лошадей.

— Ах, сестрица, если б ты знала, как мне пить хочется.

Once upon a time there lived a tsar and tsaritsa and they had a son and a daughter named Ivanushka and Alionushka. After the tsar's and tsaritsa's death they remained alone and went wrambling all over the world.

They walked and walked untill they saw a pond with a herd of cows grazing around.

«I am thirsty,» said Ivanushka.

«Don't drink it, brother, otherwise you will turn to a calf,» said Alionushka.

He listened to her and they went on further. They walked and walked and came up to a river and saw herd of horses near it.

«Ah, sister, I am so thirsty. If you could only know it.»

3

— Не пей, братец, а то сделаешься жеребёночком.

Иванушка послушался, и пошли они дальше. Шли, шли и видят озеро, а около него гуляет стадо овец.

— Ах, сестрица, мне страшно пить хочется.

— Не пей, братец, а то будешь баранчиком.

Иванушка послушался, и пошли они дальше. Шли, шли и видят ручей, а возле стерегут свиней.

— Ах, сестрица, я напьюсь; мне ужасно пить хочется.

— Не пей, братец, а то будешь поросеночком.

Иванушка опять послушался, и пошли они дальше. Шли, шли и видят: пасётся у воды стадо коз.

— Ах, сестрица, я напьюсь.

— Не пей, братец, а то будешь козленочком.

Он не вытерпел и не послушался сестрицы, напился и стал козленочком. Прыгает Иванушка перед Алёнушкой и кричит:

— Ме-ке-ке! Ме-ке-ке!

Алёнушка обвязала его шёлковым пояском и повела с собой, а сама-то плачет, горько плачет.

Козленочек бегал, бегал и забежал раз в сад к одному царю. Люди увидели и тотчас докладывают царю:

— У нас, ваше царское величество, в саду козленочек, и держит его на поясе девица, да такая из себя красавица.

Царь приказал спросить, кто она такая. Вот люди и спрашивают её: откуда она и чьего роду-племени.

— Так и так,— говорит Алёнушка,— был царь и царица, да померли. Остались мы, дети: я — царевна, да вот братец мой, царевич; он не утерпел, напился водицы и стал козленочком.

Люди доложили всё это царю. Царь позвал Алёнушку, расспросил обо всём. Она ему приглянулась, и царь захотел на ней жениться. Скоро сделали свадьбу и стали

«Don't drink it, brother, otherwise you will turn to a colt.»

Ivanushka listened to her, and they went on further. They walked and walked and saw a lake with a herd of sheep near it.

«Ah, sister, I shall drink. So thirsty I am.»

«Don't drink, brother, otherwise you will turn to a lamb.»

Ivanushka listened to her and they went on further. They walked and walked and saw some pigs near the pond.

«Ah, sister, I shall drink. I am so much thirsty.»

«Don't drink, brother, otherwise you will turn to a piglet.»

Ivanushka listened to her again, they went straight ahead walked and saw a herd of goats grazing near water.

«Ah, sister, this time I must drink.»

«Don't drink, brother, or you will turn to a kid.»

But that time he couldn't restrain himself from drinking and didn't listen to the sister. He drank some water and turned to a kid. He started jumping before Alionushka and crying:

«Mee-ke-ke! mee-ke-ke!»

Alionushka tied him up with a silken belt and led him after her, crying and crying bitterly.

The kid was running and running till he ran to some tsar's garden. As soon as people saw him they, at once, reported to the tsar.

«Your Majesty. There is a kid in your garden and a maiden who is so nice leads him on a belt.»

The tsar ordered them to find out where she hailed from. The servants asked Alionushka where from she was and who her parents were.

«My parents were a tsar and tsaritsa, but they are dead,» said Alionushka. «And we are their children — me, the tsarevna, and this is my brother, the tsarevich. He couldn't restrain himself from drinking some water and turned to a kid.»

The people told the tsar all that. The tsar invited Alionushka and questioned her about everything himself. The tsar decided to marry her because be liked her very much. At once they

И. БИЛИБИНЪ 1901.

жить себе, и козленочек с ними. Гуляет себе по саду, а пьет и ест вместе с царем и царицею.

Вот поехал царь на охоту. А тем временем пришла колдунья и навела на царицу порчу. Сделалась Аленушка больная, да такая худая, да бледная. На царском дворе все приуныло. Цветы в саду стали вянуть, деревья сохнуть, трава блекнуть.

Царь воротился и спрашивает царицу:

— Али ты чем нездорова?

— Да, хвораю,— говорит царица.

На другой день царь опять поехал на охоту. Аленушка лежит больная. Приходит к ней колдунья:

— Хочешь, я тебя вылечу? Выходи к такому-то морю столько-то зорь и пей там воду.

Царица послушалась и в сумерках пошла к морю, а колдунья уж дожидается, схватила ее, навязала ей на шею камень и бросила в море. Аленушка пошла на дно. Козленочек прибежал и горько-горько заплакал. А колдунья оборотилась царицею и пошла во дворец.

Царь приехал и обрадовался, что царица опять стала здорова. Собрали на стол и сели обедать.

— А где же козленочек? — спрашивает царь.

— Не надо его,— говорит ведьма,— я не велела пускать. От него так и несет козлятиной!

На другой день, только царь уехал на охоту, колдунья козленочка била-била, колотила-колотила и грозит ему:

— Вот воротится царь, я попрошу тебя зарезать.

Приехал царь; колдунья так и пристает к нему:

— Прикажи да прикажи зарезать козленочка! Он мне надоел, опротивел совсем!

Царю жалко было козленочка, да делать нечего — она так и пристает, так упрашивает, что царь наконец согласился и позволил его зарезать.

Видит козленочек: уж начали точить для него ножи булатные, заплакал он.

got married and started living together with a kid with them. The kid walked in the garden and ate and drank together with the tsar and tsaritsa.

Once the tsar left for hunting meanwile a sorceress came to the palace and cast a spell upon the tsaritsa. Alionushka fell ill and turned very thin and pale. Everything got gloomy in the palace. All the flowers, trees and grass started fading, drying up and withering.

«Aren't you well?» the tsar asked Alionushka when return to the palace from hunting.

«Yes, I have fallen ill,» answered the tsaritsa.

Next day when the tsar left for hunting again the sorceress came up to the palace and found Alionushka being ill.

«Do you want me to cure you? Go to a certain sea at twilight and drink water there.»

The tsaritsa obeyed her and came up to the sea. The sorceress who was waiting for her there, grabbed her, tied up a stone to her neck and threw her into the sea. The kid ran up to the sea and cried very bitterly. The sorceress turned into Alionushka and went back to the palace.

The tsar was overfilled with joy having found the tsaritsa well again. They set the table and sat down for dinner.

«But I don't see our kid. Where is he?» asked the tsar.

«I gave orders to never let him in. He reeks with goat so much!»

Next day, as soon as the tsar left for hunting again, the sorceress seized the kid and started beating him with the following words:

«As soon as the tsar returns back from hunting I'll tell him to stab you.»

When the tsar got back to the palace she pestered him,

«Order to stab the kid. I am so disgusted by him that I can't see him any more!»

The tsar liked the kid so much but there was nothing to do. She kept on insisting on the kid to be stabbed that finally the tsar gave such a permission.

The kid saw that steel knives were being sharpened and wept.

Побежал к царю и просится:

— Царь! Пусти меня на море сходить, водицы испить, кишочки всполоскать.

Царь пустил его. Вот козленочек прибежал к морю, стал на берегу и закричал:

Аленушка, сестрица моя,
Выплынь, выплынь на бережок!
Огни горят горючие,
Котлы кипят кипучие,
Ножи точат булатные,
Хотят меня зарезать!

Она ему отвечает:

Иванушка-братец!
Тяжел камень ко дну тянет,
Люта змея сердце высосала!

He ran up to the tsar and asked,
«Tsar! Let me go the sea — shore and rinse my guts.»

The tsar let him go. The kid went to the sea shore and implored:

Alionushka, sister of mine,
Get up, get up to the shore!
Hot fires are being burnt,
Huge pots are being boiled.
They are sharpening the steel knives
They are willing to stab me!

Alionushka answered him:

Ivanushka, brother of mine!
A heavy stone drags me dawn to the bottom,
A sepultural snake sucked my heart out!

Козленочек заплакал и воротился назад. В середине дня опять просится он у царя:

— Царь! Пусти меня на море сходить, водицы испить, кишочки всполоскать.

Царь пустил его. Вот козленочек прибежал к морю и жалобно закричал:

Аленушка, сестрица моя,
Выплынь, выплынь на бережок!
Огни горят горючие,
Котлы кипят кипучие,
Ножи точат булатные,
Хотят меня зарезать!

Она ему отвечает:

Иванушка-братец!
Тяжел камень ко дну тянет,
Люта змея сердце высосала!

Козленочек заплакал и воротился домой. Царь и думает: «Что бы это значило, козленочек все бегает на море?»

Вот попросился козленочек в третий раз:

— Царь! Пусти меня на море сходить, водицы испить, кишочки всполоскать.

Царь отпустил его и сам пошел за ним следом. Приходит к морю и слышит — козленочек вызывает сестрицу:

Аленушка, сестрица моя,
Выплынь, выплынь на бережок!
Огни горят горючие,
Котлы кипят кипучие,
Ножи точат булатные,
Хотят меня зарезать!

Она ему отвечает:

Иванушка-братец!
Тяжел камень ко дну тянет,
Люта змея сердце высосала!

Козленочек опять начал вызывать сестрицу. Аленушка всплыла кверху и показалась над водой. Царь ухватил ее, сорвал с шеи камень и вытащил Аленушку на берег, да и спрашивает: Как это случилось? Она

And the kid got back to the palace. At the midday he came to the tsar started begging him to let him go to the sea and rinse his guts again.

The tsar let him go. The kid returned to the sea and started calling Alionushka again:

Alionushka, sister of mine,
Get up, get up to the shore!
Hot fires are being burnt,
Huge pots are being boiled.
They are sharpening the steel knives
They are willing to stab me!

Alionushka answered him:

Ivanushka, brother of mine!
A heavy stone drags me dawn to the bottom,
A sepultural snake sucked my heart out!

The kid returned home with the same result. The tsar thought: «What could this mean? Why the kid keeps on running to the sea shore?»

So the kid implored for the third time,

«Tsar! Let me go to the sea and rinse my guts one more time!»

The tsar allowed him to go and decided to follow the kid himself. He came up to the sea and heard the kid crying:

Alionushka, sister of mine,
Get up, get up to the shore!
Hot fires are being burnt,
Huge pots are being boiled.
They are sharpening the steel knives
They are willing to stab me!

Alionushka answered him:

Ivanushka, brother of mine!
A heavy stone drags me dawn to the bottom,
A sepultural snake sucked my heart out!

The kid kept on calling her until she finally swam up to the surface of the sea. The tsar grabbed Alionushka, tore the stone off her neck and asked how everything had happened. She told him everything. The tsar was filled up

ему все рассказала. Царь обрадовался, козленочек тоже — так и прыгает, в саду все зазеленело и зацвело.

А колдунью приказал царь казнить. Разложили на дворе костер дров и сожгли ее. После того царь с царицей и с козленочком стали жить да поживать да добра наживать и по-прежнему вместе и пили и ели.

with joy the same as the kid was. When three of them returned to the palace the garden started blossoming again.

As to the sorceress she was ordered to be punished. The flame was in the courtyard because the sorceress was burnt on it. The tsar with his wife and the kid started living happily, and eating and drinking together as before.

Tale of Ivan-Tsarevich, the firebird and the grey wolf

В некотором было царстве, в некотором государстве жил-был царь, по имени Выслав Андронович. У него было три сына-царевича. Первый — Димитрий-царевич, другой — Василий-царевич, а третий — Иван-царевич.

У того царя Выслава Андроновича был сад такой богатый, что ни в одном государстве лучше того не было.

В том саду росли разные дорогие деревья с плодами и без плодов. И была у царя одна яблоня любимая. На той яблоне росли яблочки все золотые.

Повадилась к царю Выславу в сад летать жар-птица. На ней перья золотые, а глаза восточному хрусталю подобны. Летала она в тот сад каждую ночь и садилась на любимую Выслава-царя яблоню, срывала с нее золотые яблочки и опять улетала.

Царь Выслав Андронович весьма сожалел о той яблоне, что жар-птица много яблок с нее сорвала.

Once upon a time in a certain tsardom, in a certain state there lived a tsar named Vyslav Andronovich. He had three sons. The first was Tsarevich Dmitry, the second Tsarevich Vasily and the third Tsarevich Ivan.

Tsar Vyslav Andronovich had a garden and the garden was so rich that there was no one better in any other tsardom.

All types of precious trees with and without fruit grew in this garden. One apple tree was the tsar's beloved. All the apples of the tree were of pure gold.

A firebird fell into the habit to fly to Vyslav's garden. It's wing were of gold and eyes resembled oriental crystals. Every night it flew over the garden, perched on Tsar Vyslav's favourite apple tree and picked some golden apples and took off.

Tsar Vyslav Andronovich was very much upset about so many apples had been stolen by firebird.

Он призвал к себе трех своих сыновей и сказал им:

— Дети мои любезные! Кто из вас может поймать в моем саду жар-птицу? Кто изловит ее живую, тому еще при жизни моей отдам половину царства, а по смерти и все!

Тогда дети его царевичи воскликнули единогласно:

— Милостивый государь-батюшка, ваше царское величество! Мы с великою радостью будем стараться поймать жар-птицу живую!

В первую ночь пошел караулить в сад Димитрий-царевич. Усевшись под ту яблоню, с которой жар-птица яблочки срывала, заснул и не слыхал, как жар-птица прилетала и яблок весьма много ощипала.

Поутру Выслав Андронович призвал к себе своего сына Димитрия-царевича и спросил:

— Что, сын мой любезный, видел ли ты жар-птицу или нет?

Он родителю своему отвечал:

— Нет, милостивый государь-батюшка! Она в эту ночь не прилетала.

На другую ночь пошел в сад караулить Василий-царевич. Он сел под ту же яблоню. Сидя час и другой, заснул так крепко, что не слыхал, как жар-птица прилетала и яблочки щипала.

Поутру царь Выслав призвал его к себе и спрашивал:

— Что, сын мой любезный, видел ли ты жар-птицу или нет?

— Милостивый государь-батюшка! Она в эту ночь не прилетала.

На третью ночь пошел в сад караулить Иван-царевич и сел под ту же яблоню. Сидит он час, другой и третий. Вдруг осветило весь сад так, как бы он многими огнями освещен был. Прилетела жар-птица. Села на яблоню и начала щипать яблочки.

Иван-царевич подкрался к ней так искусно, что ухватил ее за хвост. Но не смог ее удержать. Она вырвалась и полетела. И осталось у Ивана-царевича в руке только одно перо из хвоста, за которое он весьма крепко держался.

Once he challenged three sons of his and said,

«My beloved sons! The one of you who will manage to catch the firebird will inherit a half of my tsardom during my lifetime and all the rest after my death.»

Then his sons-tsareviches explained in one voice,

«Your Majesty! Our beloved Dad! With great diligence we will do our best to catch the firebird alive.»

The first night Tsarevich Dmitry went to keep watch over the garden. He sat under the apple tree from which the firebird was stealing apples, fell asleep and didn't hear the firebird come and pick very many apples.

In the morning Vyslav Andronovich called his son Tsarevich Dmitry and asked,

«Well, my dear son. Did you see the firebird or not?»

He answered,

«No, my beloved Dad! It didn't come last night.»

The next night Tsarevich Vasily went to the garden. He sat under the apple tree, fell asleep and didn't hear how the firebird came and picked some apples.

In the morning Tsar Vyslav called his son and asked,

«Well, my dear son. Did you see the firebird or not?»

«No, my beloved Dad. It didn't come last night.»

The third night Tsarevich Ivan went to the garden and sat under the apple tree. By the time he had been waiting for three hours, a sudden light illuminated the garden as if it were many fires. The firebird came, sat on the tree and started picking the apples.

Tsarevich Ivan sneaked up to the firebird so softly that managed to seize it's tail. But he was unable to hold it. The firebird broke out from him and flew away, but left feather of it's tail he held very fast in his hand.

Поутру, лишь только царь Выслав от сна пробудился, Иван-царевич пошел к нему и отдал ему перышко жар-птицы.

Царь Выслав весьма был обрадован, что меньшому его сыну удалось хоть одно перо достать от жар-птицы.

Это перо было таким чудесным и светлым, что если принести его в темную горницу, то оно так сияло, как бы в том покое было зажжено великое множество свеч. Царь Выслав положил то перышко в свой кабинет как такую вещь, которая должна вечно храниться. С тех пор жар-птица не летала уже в сад.

Царь Выслав опять призвал к себе детей своих и говорил им:

— Дети мои любезные! Поезжайте, я даю вам свое благословение, отыщите жар-птицу и привезите ее ко мне живую. А что прежде я обещал, то, конечно, получит тот, кто жар-птицу ко мне привезет.

Димитрий и Василий-царевичи начали иметь злобу на меньшого своего брата Ивана-царевича, что ему удалось выдернуть у жар-птицы из хвоста перо. Взяли они у отца своего благословение и поехали вдвоем отыскивать жар-птицу.

А Иван-царевич также начал у родителя своего просить на то благословения.

Царь Выслав сказал ему:

— Сын мой любезный, чадо мое милое! Ты еще молод и к такому дальнему и трудному пути непривычен. Зачем тебе от меня отлучаться? Ведь братья твои и так поехали. Ну, ежели и ты от меня уедешь, и вы все трое долго не возвратитесь? Я уже стар и хожу под Богом. Ежели во время отлучки вашей Господь Бог отнимет мою жизнь, то кто вместо меня будет управлять моим царством? Тогда может сделаться бунт или несогласие между нашим народом, а унять будет некому. Или неприятель под наши области подступит, а управлять войсками нашими будет некому.

Однако сколько царь Выслав ни старался удерживать Ивана-царевича, но никак не мог не отпустить его, по его неотступной просьбе. Иван-царевич взял у родителя

Next morning, as soon as Tsar Vyslav was awaken bu the daylight, Tsarevich Ivan gave him the firebird's feather.

Tsar Vyslav was very happy that his youngest son managed to get at least one firebird's feather.

This feather was that nice and bright that if it had been taken to a dungeon, it would have been so light down there as if many candles had been fired. Tsar Vyslav put the feather in his chamber and treated it as if it were a sort of thing to be kept forever. Since than the firebird never came to the garden.

Tsar Vyslav again challenged his sons and said to them,

«My dear sons! Go blessed by me, find the firebird and bring it back to me alive. And what I have promised before the one of you will get who manages to bring the firebird to me.»

Tsarevich Dmitry and Tsarevich Vasily started bearing malice toward their younger brother, that he had managed to tear off the feather from the firebird's tail. They accepted their Dad's blessing and took off together to look for the firebird.

Tsarevich Ivan also began to ask for his Dad's blessing.

Tsar Vyslav told him,

«My dear son, my sweet child! You are too young and unskilled for such a long and difficult journey. Why would you leave me? Your brothers have gone already? What would be with me if three of you left and weren't back for a long time? I am old enough and walk beneath God. Who will rule the tsardom if God takes my life? Then there might be a riot and discord among our people there would be nobody to pacify them. There also would be nobody to govern our armies if an enemy invaded our land.»

Though notwithstanding that tsar Vyslav tried very hard to keep his youngest son home, so persistent his begging was that the tsar had to let him go. Tsarevich Ivan accepted

своего благословение, выбрал себе коня и поехал в путь. И ехал, сам не зная, куда едет.

Едет путем-дорогою. Близко ли, далеко ли, низко ли, высоко ли, скоро сказка сказывается, да не скоро дело делается.

Наконец приехал он в чистое поле, в зеленые луга. А в чистом поле стоит столб, а на столбу написаны эти слова:

«Кто поедет от столба этого прямо, тот будет голоден и холоден. Поедет в правую сторону, тот будет здоров и жив, а конь его будет мертв. А кто поедет в левую сторону, тот сам будет убит, а конь его жив и здоров останется.»

Иван-царевич прочел эту надпись и поехал в правую сторону, держа на уме: хотя конь его и убит будет, зато сам жив останется и со временем может достать себе другого коня.

Он ехал день, другой и третий. Вдруг вышел ему навстречу пребольшой серый волк и сказал:

— Ох ты гой еси, младой юноша, Иван-царевич! Ведь ты читал, на столбе написано, что конь твой будет мертв. Так зачем сюда едешь?

Волк вымолвил эти слова, разорвал коня Ивана-царевича надвое и пошел прочь в сторону.

Иван-царевич очень сокрушался по своему коню, заплакал горько и пошел дальше пеший. Он шел целый день и устал несказанно. Только что хотел присесть отдохнуть немного, вдруг нагнал его серый волк.

— Жаль мне тебя, Иван-царевич, что ты так устал. Жаль мне и того, что я съел твоего доброго коня. Добро! Садись на меня, на серого волка, и скажи, куда тебя везти и зачем?

Иван-царевич сказал серому волку, куда ему ехать надобно. И серый волк помчался с ним пуще коня и через некоторое время как раз ночью привез Ивана-царевича к каменной стене не очень высокой.

his Dad's blessing, chose a horse and hit the road. And he rode being unaware of where he went.

He was breaking his way. But whether it was close or far or low or high, the story is been soon told but never a deed being done soon.

At last he arrived at wide fields, green meadows. And stumbled upon a pillar with the following words on it:

«The one who goes ahead from this pillar will be hungry and cold. The one who goes to the right will be healthy and strong but his horse will be dead. And the one who goes to the left will die himself but his horse will stay alive.»

Tsarevich Ivan read this inscription and turned to the right, having in mind that although his horse would be slayed, he himself would stay alive and, in some time, he might manage to get another horse.

He was riding one day, another and on the third day, all of a sudden, a huge grey wolf came out from the forest and said to Ivan:

«Oh, fine youth, Ivan Tsarevich! Surely you have read what was written on the pillar. That your horse would be dead. So why have you taken this way?»

After uttering these words the wolf tore Tsarevich Ivan's horse in two parts and was gone.

Tsarevich Ivan grieved for his horse very much, cried bitterly and went ahead on foot. He was walking all day and got very much tired. When he was about to sit down for rest, suddenly the grey wolf caught up with him.

«I feel sorry for you, Ivan Tsarevich. You have so much exhausted yourself. I wish I hadn't eaten your kind horse. All right! Sit on my grey wolf's back and say where you are to be taken and why.»

Tsarevich Ivan told the wolf where he had to be taken. The grey wolf raced along with him faster than any horse and, in a while, by night, he brought Tsarevich Ivan to a stone wall not very high.

КТО ПОѢД
СТОЛБА СЕГО ПРЯМ
УЖ БУДЕТ ГОЛО
И ХОЛОДЕНЪ·
КТО ПОѢДЕТ ВЪ
ПРАВУЮ СТОРОНУ
БУДЕТЪ ЗДРАВЪ И ЖИ
А КОНЬ МЕРТВЪ
А КТО ПОѢДЕТ ВЪ
ЛѢВУЮ СТОРОНУ
САМЪ УБИТЪ БУДЕ
А КОНЬ ЖИВЪ·

И. БИЛИБИНЪ·1899·

Он остановился и сказал:

— Ну, Иван-царевич, слезай с меня, с серого волка, и полезай через эту каменную стену. Тут за стеною сад, а в том саду жар-птица сидит в золотой клетке. Ты жар-птицу возьми, а золотую клетку не трогай. Ежели клетку возьмешь, то тебя тотчас поймают.

Иван-царевич перелез через каменную стену в сад, увидел жар-птицу в золотой клетке и очень на эту клетку прельстился. Вынул птицу из клетки и пошел назад.

Потом он одумался и сказал сам себе:

— Что я взял жар-птицу без клетки? Куда я ее посажу?

Воротился и лишь только снял золотую клетку — то вдруг пошел стук и гром по всему саду. К той золотой клетке были струны приведены.

Караульные проснулись, прибежали в сад, поймали Ивана-царевича с жар-птицей и привели к своему царю, которого звали Долматом.

Царь Долмат весьма разгневался на Ивана-царевича и вскричал на него громким и сердитым голосом:

— Как не стыдно тебе, молодой юноша, воровать! Да кто ты таков, и откуда, и какого отца сын, и как тебя по имени зовут?

Иван-царевич ему молвил:

— Я из царства Выславова, сын царя Выслава Андроновича, а зовут меня Иван-царевич. Твоя жар-птица повадилась к нам летать в сад каждую ночь. Она срывала с любимой отца моего яблони золотые яблочки, и почти все дерево испортила. Для того послал меня мой родитель, чтобы сыскать жар-птицу и к нему привезти.

— Ох ты, младой юноша, Иван-царевич,— молвил царь Долмат,— пригоже ли так делать, как ты сделал? Ты бы пришел ко мне, я бы тебе жар-птицу честию отдал. А теперь хорошо ли будет, когда я разошлю во все государства о тебе объявить, как ты в моем государстве нечестно поступил? Однако слушай, Иван-царевич! Ежели ты сослужишь

He stopped and said,

«Well, Tsarevich Ivan. Get of my grey wolf's back and climb over this wall. There is a tsar's garden beyond the wall in which the firebird sits in a golden cage. If you take a gold cage you will never leave the garden. You will be caught by guards immediately.»

Tsarevich Ivan climbed over the wall and got right into the garden, saw the firebird inside the cage and became very attracted by it. He took the firebird out of the cage and went back with it.

Then he fell to thinking and said to himself,

«Why have I taken the firebird without the cage? Where will I put it?»

As soon as be took the cage and was about leaving all of a sudden a great thunder and clatter began throughout the garden. Strings had been tied up to the cage.

The guards were woken up at once, caught Tsarevich Ivan up and brought him to their tsar named Dolmat.

Tsar Dolmat got into a fury and yielded at Tsarevich Ivan in a loud and very angry voice,

«Shame of you, young thief! Who are you, from what land, whose father's son and what is your name?»

Tsarevich Ivan told him,

«I am from Vyslav's tsardom, Tsar Vyslav's son. And my name is Tsarevich Ivan. Your firebird fell into habit to fly to our garden each night. It picked golden apples from my Dad's favourite tree and spoiled almost the whole tree. For that reason Vyslav Andronovich sent me to find the firebird and bring it to him.»

«Oh, young Tsarevich Ivan,» said Tsar Dolmat. «Is it correct to do what you have done? If you had come to me, you would have received the firebird with my respects. And now would it be good if I sent my word to all the tsars on how dishonestly you have acted in my tsardom. However, listen, Tsarevich Ivan! If you do me a service, if you

мне службу — съездишь за тридевять земель, в тридесятое государство, и достанешь мне от царя Афрона коня златогривого, то я тебя в твоей вине прощу и жар-птицу тебе с великою честью отдам. А ежели не сослужишь этой службы, то дам о тебе знать во все государства, что ты нечестный вор.

Иван-царевич пошел от царя Долмата в великой печали, обещая ему достать коня златогривого.

Пришел он к серому волку и рассказал ему обо всем, что ему царь Долмат говорил.

— Ох ты гой еси, младой юноша, Иван-царевич,— молвил ему серый волк.— Для чего ты слова моего не слушался, взял золотую клетку?

— Виноват я перед тобой,— сказал волку Иван-царевич.

— Добро, быть так,— молвил серый волк.— Садись на меня, на серого волка. Я тебя свезу, куда тебе надобно.

Иван-царевич сел серому волку на спину, а волк побежал так быстро, как стрела. Бежал он долго ли, коротко ли. Наконец, прибежал в государство царя Афрона ночью.

И, подойдя к белокаменным царским конюшням, серый волк Ивану-царевичу сказал:

— Ступай, Иван-царевич, в эти белокаменные конюшни. Теперь караульные конюхи все крепко спят! Бери ты коня златогривого. Только тут на стене висит золотая узда. Ты ее не бери, а то худо тебе будет!

Иван-царевич, войдя в белокаменные царские конюшни, взял коня и пошел было назад; но увидел на стене золотую узду и так на нее прельстился, что снял ее с гвоздя. И только что снял — как вдруг пошел гром и шум по всем конюшням, потому что к той узде были струны приведены.

Караульные конюхи тотчас проснулись, прибежали, Ивана-царевича поймали и повели к царю Афрону.

Царь Афрон начал его спрашивать:

— Ох ты гой еси, молодой юноша! Скажи мне, из которого ты государства, и которого отца сын, и как тебя по имени зовут?

На то отвечал ему Иван-царевич:

go beyond thirty lands, to the thirtieth tsardom and get to me the golden-maned steed belonging to Tsar Afron, I will forgive you and the firebird will be my present to you. But if you fail to do this service, I shall send my word to any tsardom that you are a dishonorable thief.»

Tsarevich Ivan left the Tsar Dolmat land in great sadness, having promised to get the steed with a golden mane.

He went to the grey wolf and told him everything that Tsar Dolmat had said to him.

«Oh, young Tsarevich Ivan! Why didn't you listen to me and take the golden cage?» said the grey wolf.

«I am guilty before you,» said Tsarevich Ivan.

«All right, let it be like this,» said the grey wolf. «Climb on my back and I'll take you where you have to be.»

Tsarevich Ivan climbed on grey wolf's back and the wolf was racing as fast as an arrow. Weather he ran, whether long or not, finally at night he came to Tsar Afron's tsardom.

Having reached the white-stoned royal stables, the grey wolf said to Tsarevich Ivan,

«Go, Tsarevich Ivan, into these white-stoned stables. Now all the grooms are sleeping. But there is a golden bridle hanging on the wall. Don't touch it, otherwise it will be the worse for you!»

Tsarevich Ivan entered a white-stoned stables, took the steed and was about coming back when he noticed the golden bridle hanging on the wall. He was so enchanted by it that he removed the bridle from its nail. Just he did it, a horrible clatter and thunder began through the stables, because the strings had been tied up to the bridle.

The grooms were woken up at once and they rushed in. They seized Tsarevich Ivan and brought him to Tsar Afron.

Tsar Afron started questioning him.

«Young man! Tell me who you are, from what land, who's father's son and what your name is?»

Tsarevich Ivan answered,

— Я сам из царства Выславова, сын царя Выслава Андроновича, а зовут меня Иваном-царевичем.

— Ох ты, младой юноша, Иван-царевич! — сказал ему царь Афрон.— Честного ли рыцаря это дело, которое ты сделал? Ты бы пришел ко мне, я бы тебе коня златогривого с честью отдал. А теперь хорошо ли тебе будет, когда я разошлю во все государства объявить, как ты нечестно в моем государстве поступил? Однако слушай, Иван-царевич! Ежели ты сослужишь мне службу и съездишь за тридевять земель, в тридесятое государство, и достанешь мне королевну Елену Прекрасную, в которую я давно и душою и сердцем влюбился, а достать не могу, то я тебе эту вину прощу и коня златогривого с золотою уздою честно отдам. А ежели этой службы мне не сослужишь, то я о тебе дам знать во все государства, что ты нечестный вор, и пропишу все, как ты в моем государстве дурно сделал.

«I am from Vyslav's tsardom. I am the son of Tsar Vyslav Andronovich and I am Tsarevich Ivan.»

«Oh, young man, Tsarevich Ivan! Does what you have done befit an honourable knight? If you had come to me I would have given to you the steed with the golden mane with my respects. But now if I sent my word how you have acted at my lands to every tsardom how you would like it? However, listen, Tsarevich Ivan! If you do a deed for me, if you go beyond thirty land to the thirtieth tsardom and fetch for me Princess Elena the Beautiful, whom I have been loving, heart and soul, for so long, but whom I am unable to get, your fault will be forgiven and the steed with the golden mane will be my honourable present to you. But if you fail to do this service, than what you have done and that you are dishonourable thief will be proclaimed in all the lands,» said Tsar Afron.

Тогда Иван-царевич обещал царю Афрону королевну Елену Прекрасную достать, а сам пошел из палат его и горько заплакал.

Пришел к серому волку и рассказал все, что с ним случилось.

— Ох ты гой еси, младой юноша, Иван-царевич! — молвил ему серый волк.— Для чего ты слова моего не слушался и взял золотую узду?

— Виноват я перед тобой,— сказал волку Иван-царевич.

— Добро, быть так! — продолжал серый волк.— Садись на меня, на серого волка. Я тебя свезу, куда тебе надобно.

Иван-царевич сел серому волку на спину, а волк побежал так скоро, как стрела. И бежал он, как бы в сказке сказать, недолгое время и, наконец, прибежал в государство королевны Елены Прекрасной.

И, подойдя к золотой решетке, которая окружала чудесный сад, волк сказал Ивану-царевичу:

— Ну, Иван-царевич, слезай теперь с меня, с серого волка, и ступай назад по той же дороге, по которой мы сюда пришли. Ожидай меня в чистом поле под зеленым дубом.

Иван-царевич пошел, куда ему велено. Серый же волк сел близ той золотой решетки и дожидался, покуда пойдет прогуляться в сад королевна Елена Прекрасная.

К вечеру, когда солнышко стало опускаться к западу, и в воздухе было не очень жарко, королевна Елена Прекрасная пошла в сад прогуливаться со своими нянюшками и с придворными боярынями. Когда она вошла в сад и подходила к тому месту, где серый волк сидел за решеткою,— вдруг серый волк перескочил через решетку в сад и ухватил королевну Елену Прекрасную. Он перескочил назад и побежал с нею что есть силы-мочи.

Прибежал в чистое поле под зеленый дуб, где его Иван-царевич дожидался, и сказал ему:

— Иван-царевич, садись поскорее на меня, на серого волка!

Иван-царевич сел на него, а серый волк помчал их обоих к государству царя Афрона.

Then Tsarevich Ivan promised Tsar Afron to get Princess Elena the Beautiful to the tsar, left his chamber and wept bitterly.

He went to the grey wolf and told him everything that had happened to him.

«Oh, young man, Tsarevich Ivan!» said the grey wolf. «Why didn't you listen to my words? What for did you take the golden bridle?»

«I am guilty before you,» said Tsarevich Ivan.

«All right, let it be like this!» said the grey wolf. «Climb on my back and I will take you to where you have to be.»

Tsarevich Ivan climbed on the grey wolf's back and the wolf was racing as fast as an arrow. And he ran, like in a tale to be said, not that long and finally arrived in the tsardom of Princess Elena the Beautiful.

Having reached the golden fence surrounding the remarkable garden, the wolf said to Tsarevich Ivan,

«Now, Tsarevich Ivan, get down from me and go back along the same road we were running here. Wait for me in the wide field under the green oak.»

Tsarevich Ivan went where he was ordered. The grey wolf sat close to the golden fence and began waiting Princess to go for a walk in the garden.

By the evening, when the sun was setting to the West and the air was fresh, Princess Elena the Beautiful went out to for a walk into the garden with nannies and governesses. When she entered the garden and was coming closer to the place where the wolf was waiting behind the fence, the grey wolf suddenly jumped over the fence into the garden and seized Princess Elena the Beautiful. He jumped back over the fence and ran with her on top of his force.

He ran into the wide field to the green oak, where Tsarevich Ivan was waiting for him and said,

«Tsarevich Ivan, very quickly climb on my grey wolf's back!»

Tsarevich Ivan climbed on the grey wolf's back and he rushed with two of them toward Tsar Afron's lands.

Няньки, и мамки, и все боярыни при-
дворные, которые гуляли в саду с прекрасною королевною Еленою, побежали тотчас
во дворец и послали в погоню, чтоб догнать
серого волка. Однако сколько гонцы ни гна-
лись, не могли нагнать и воротились назад.

Иван-царевич, сидя на сером волке вместе с прекрасною королевною Еленою, возлюбил ее сердцем, а она Ивана-царевича.

И когда серый волк прибежал в государство царя Афрона и Ивану-царевичу надобно
было отвести прекрасную королевну Елену
во дворец и отдать царю, тогда царевич
весьма запечалился и начал слезно плакать.

Серый волк спросил его:

— О чем ты плачешь, Иван-царевич?

На то ему Иван-царевич отвечал:

— Друг мой, серый волк! Как мне, доб-
рому молодцу, не плакать и не крушиться?
Я сердцем возлюбил прекрасную королевну
Елену, а теперь должен отдать ее царю Афрону за коня златогривого, а ежели ее не
отдам, то царь Афрон обесчестит меня во
всех государствах.

— Служил я тебе много, Иван-царевич,—
сказал серый волк,— сослужу и эту службу.
Слушай, Иван-царевич: я сделаюсь прекрасной королевной Еленой, и ты меня от-
веди к царю Афрону и возьми коня златогривого. Он меня сочтет за настоящую королевну. И когда ты сядешь на коня златогривого и уедешь далеко, тогда я выпро-
шусь у царя Афрона в чистое поле погулять.
И как он меня отпустит с нянюшками, и с
мамушками, и со всеми придворными боярынями и буду я с ними в чистом поле, тогда ты меня вспомяни — и я опять у тебя
буду.

Серый волк вымолвил эти речи, ударился
о сыру землю — и стал прекрасною королевною Еленою, так что никак и узнать
нельзя, чтоб то не она была.

Иван-царевич взял серого волка, пошел во
дворец к царю Афрону, а прекрасной королевне Елене велел дожидаться за городом.

Когда Иван-царевич пришел к царю Афрону с мнимою Еленою Прекрасною, то

The nannies and governesses who had
accompanied Elena the Beautiful during the walk
in the garden ran at once to the palace and sent
the guards to overtake the grey wolf. But no
matter how fast they were they failed to catch
them and they returned back to the palace.

Tsarevich Ivan and Elena the beautiful, sitting on the grey wolf's back, have fallen in love
with each other with all their hearts.

When they finally reached the Tsar Afron's
tsardom and Tsarevich Ivan had to lead Princess Elena the Beautiful to the palace and
pass her to Tsar Afron, he extremely dissa-
pointed and burnt into bitter tears.

The grey wolf asked him,

«Why are you weeping, Tsarevich Ivan?»

Tsarevich Ivan answered,

«Grey wolf, friend of mine! How should I
not weep and sorrow? I love Elena the
Beautiful with all my heart, and now I have
to give her to Tsar Afron and get from him
the horse with the golden mane, otherwise
he will dishonour me througout all the
lands.»

«I have served much for you, Tsarevich
Ivan,» said the grey wolf, «and I will serve this
one as well for you. Listen to me, Tsarevich
Ivan. I will turn myself into the Elena the Beautiful and you lead me to Tsar Afron and get a
steed with a golden mane in return. He will
take me as a real princess. And when you ride
the steed with a golden mane and it will take
you far from the Tsar Afron tsardom, I will beg
him for letting me out for a walk in the wide
field. And when he lets me out with nannies
and governesses and all the courtiers, and I
am in the wide field, just remember me and I
shall be again with you.»

The grey wolf said these words to Tsarevich
Ivan, struck himself against the earth, and turned
into Princess Elena the Beautiful, so that nobody
would ever have a shade of doubt it were not her.

Tsarevich Ivan took the grey wolf, went to
Tsar Afron's palace and ordered Elena the
Beautiful to wait for him outside the town.

When Tsarevich Ivan came to Tsar Afron
with phoney Elena the Beautiful, than tsar was

царь вельми возрадовался в сердце своем, что получил такое сокровище, которого он давно желал. Он принял ложную королевну, а коня златогривого вручил Ивану-царевичу.

Иван-царевич сел на того коня и выехал за город. Посадил с собою Елену Прекрасную и поехал, держа путь к государству царя Долмата.

Серый же волк живет у царя Афрона день, другой и третий вместо прекрасной королевны Елены, а на четвертый день пришел к царю Афрону проситься в чистом поле погулять, чтоб разбить тоску-печаль лютую.

И сказал ему царь Афрон:

— Ах, прекрасная моя королевна Елена! Я для тебя все сделаю, отпущу тебя в чистое поле погулять.

И тотчас приказал нянюшкам, мамушкам, и всем придворным боярыням с прекрасною королевною идти в чистое поле гулять.

Иван же царевич ехал путем-дорогою с Еленою Прекрасною, разговаривал с нею и забыл было про серого волка; да потом вспомнил:

— Ах, где-то мой серый волк?

Вдруг откуда ни взялся — стал серый водк перед Иваном-царевичем и сказал ему:

— Садись, Иван-царевич, на меня, на серого волка, а прекрасная королевна пусть едет на коне златогривом.

Иван-царевич сел на серого волка, и поехали они в государство царя Долмата.

Ехали они долго ли, коротко ли и, доехав до того государства, за три версты от города остановились.

Иван-царевич начал просить серого волка:

— Слушай ты, друг мой любезный, серый волк! Сослужил ты мне много служб, сослужи мне и последнюю, а служба твоя будет вот какая. Не можешь ли ты оборотиться в коня златогривого вместо этого? С этим златогривым конем мне расстаться не хочется.

Вдруг серый волк ударился о сырую землю — и тотчас стал конем златогривым.

overfilled with happiness to get the treasure for which had been waiting so long. He accepted the phoney princess in return for the steed with the golden mane.

Tsarevich Ivan mounted the steed and rode out of town. He let the princess mount on the steed's back and headed for the Tsar Dolmat's tsardom.

The grey wolf lived at Tsar Afron's palace one day, another, the third day, and on the fourth, he went to Tsar Afron and started begging the tsar to let him out for a walk to the wide field, to disperse his wild sadness.

Tsar Afron said to him,

«Ah, my beautiful Elena! I will do everything for you and I will let you go out for a walk in the wide field.»

And he right away ordered nannies and the governesses to accompany the beautiful princess in the wide field.

Tsarevich was riding along the road together with Elena the Beautiful and talking to her. He forgot about the grey wolf but later he remembered.

«Ah, where is my grey wolf?»

All of a sudden, as soon as he remembered the grey wolf, he showed up before Tsarevich Ivan and said,

«Tsarevich Ivan, climb on my back, and let Elena the Beautiful ride on the steed with the golden mane.»

Tsarevich Ivan mounted on the grey wolf's back and they rode to the Tsar Dolmat's tsardom.

Weather they travelled for a long time or not, they arrived at the tsardom and stopped three versts from the town.

Tsarevich Ivan started imploring the grey wolf,

«Listen, grey wolf, friend of mine! You have done big deal of a job for me. Than do the last service for me. And this service will be the following. Weren't you able to turn into a horse with a golden mane instead of this one? I don't want to part with this steed with golden mane.»

All of a sudden the grey wolf struck himself against the damp earth and turned into a steed with a golden mane.

Иван-царевич, оставя прекрасную королевну Елену в зеленом лугу, сел на серого волка и поехал во дворец к царю Долмату. И когда туда приехал, царь Долмат увидел Ивана-царевича, что едет он на коне златогривом, весьма обрадовался, тотчас вышел из палат своих. Он встретил царевича на широком дворе, поцеловал его в уста сахарные, взял его за правую руку и повел в палаты белокаменные.

Царь Долмат для такой радости велел сотворить пир, и они сели за столы дубовые, за скатерти браные. Пили, ели, забавлялись и веселились ровно два дни, а на третий день царь Долмат вручил Ивану-царевичу жар-птицу с золотою клеткою.

Царевич взял жар-птицу, пошел за город, сел на коня златогривого вместе с прекрасною королевной Еленою и поехал в свое отечество, в государство царя Выслава Андроновича.

Царь же Долмат вздумал на другой день своего коня златогривого объездить в чистом поле. Велел его оседлать, как он сбросил с себя царя Долмата и, оборотясь по-прежнему в серого волка, побежал и нагнал Ивана-царевича.

— Иван-царевич! — сказал он.— Садись на меня, на серого волка, а королевна Елена Прекрасная пусть едет на коне златогривом.

Иван-царевич сел на серого волка, и поехали они в путь. Как скоро довез серый волк Ивана-царевича до тех мест, где его коня разорвал, он остановился и сказал:

— Ну, Иван-царевич, послужил я тебе довольно верою и правдою. Вот на сем месте разорвал я твоего коня надвое, до этого места и довез тебя. Слезай с меня, с серого волка. Теперь есть у тебя конь златогривый. Ты садись на него и поезжай, куда тебе надобно; а я тебе больше не слуга.

Серый волк вымолвил эти слова и побежал в сторону. А Иван-царевич заплакал горько по сером волке и поехал в путь свой с прекрасною королевною.

Долго ли, коротко ли ехал он с прекрасною королевною Еленою на коне златогри-

Having left Princess Elena the Beautiful in a green meadow, Tsarevich Ivan mounted the grey wolf's back and set out for to the Tsar Dolmat's palace. And when they came there, Tsar Dolmat saw Tsarevich Ivan riding on the steed with the golden mane, and he was overjoyed and left his chamber right away. He met Tsarevich Ivan in his wide courtyard, kissed him in his sweet lips, took him by the right hand and let him into the white-stoned palace.

Tsar Dolmat ordered to create a great feast to celebrate such a gladness and they sat at oaken tables adorned by the sumptuous table clothes. They were eating, drinking and having fun for two days. On the third day Tsar Dolmat handed the firebird in the golden cage to Tsarevich Ivan.

The tsarevich took the firebird, went outside of town, mounted the horse with the golden mane together with Elena the Beautiful, and left for his fatherland, the tsardom of Tsar Vyslav Andronovich.

The next day it occured to Tsar Dolmat to sample his gold-maned steed in the wide field. Ordered to have the steed saddled, mounted it. But the steed with the golden mane threw him down, turned back into the grey wolf and pushed away to catch up with Tsarevich Ivan.

«Tsarevich Ivan,» said the grey wolf, «climb on my grey wolf's back and let Elena the Beautiful ride the steed with the golden mane.»

Tsarevich Ivan sat on the grey wolf and they took their way. As soon as they reached the place where the grey wolf tore the horse of Ivan Tsarevich, he stopped.

«Well, Tsarevich Ivan,» said the grey wolf. «I have served to you long in faith and truth. Right here I have torn your horse in two and I have taken you right to this spot. Dismount me, the grey wolf. Now you have the gold-maned steed. Ride on it wherever you need. I am not your servant any more.»

The grey wolf said these words and ran aside. Tsarevich Ivan burnt into bitter tears over the grey wolf and together with princess Elena set out for his native land.

Weather for a long time or short he rode together with Princess Elena the Beautiful on

вом. Не доехав до своего государства за двадцать верст, остановился, слез с коня и вместе с прекрасною королевною лег отдохнуть от солнечного зною под деревом. Коня златогривого привязал он к тому же дереву, а клетку с жар-птицею поставил подле себя.

Лежа на мягкой траве и ведя разговоры полюбовные, они крепко уснули.

В то самое время братья Ивана-царевича, Димитрий и Василий-царевичи, ездя по разным государствам и не найдя жар-птицы, возвращались в свое отечество с порожними руками. Нечаянно наехали они на своего сонного брата Ивана-царевича с прекрасною королевною Еленою.

Увидя на траве коня златогривого и жар-птицу в золотой клетке, весьма на них прельстилися и вздумали брата своего Ивана-царевича убить до смерти.

Димитрий-царевич вынул из ножон меч свой, заколол Ивана-царевича и изрубил его на мелкие части. Потом разбудил прекрасную королевну Елену и начал ее спрашивать:

— Прекрасная девица! Которого ты государства, и какого отца дочь, и как тебя по имени зовут?

Прекрасная королевна Елена, увидя Ивана-царевича мертвого, крепко испугалась, стала плакать горькими слезами.

Со слезами она говорила:

— Я королевна Елена Прекрасная, а достал меня Иван-царевич, которого вы злой смерти предали. Вы тогда б были добрые рыцари, если б выехали с ним в чистое поле да живого победили, а то убили сонного и тем какую себе похвалу получите? Сонный человек — что мертвый!

Тогда Димитрий-царевич приложил свой меч к сердцу прекрасной королевны Елены и сказал ей:

— Слушай, Елена Прекрасная! Ты теперь в наших руках. Мы повезем тебя к нашему батюшке, царю Выславу Андроновичу, и ты скажи ему, что мы и тебя достали, и жар-птицу, и коня златогривого. Ежели этого не скажешь, сейчас тебя смерти предам!

steed with the golden mane, finally they stopped still about twenty versts from the native town. They dismounted the steed and lay down together to rest from the intense heat under the tree. He tied the steed with the gold mane to the same tree and put the cage with the firebird in it close to him.

Lying on the soft grass and holding amorous talks to each other they have fallen asleep.

At that time the brothers of Tsarevich Ivan, Tsarevich Dmitry and Tsarevich Vasily, who travelled much in all the tsardoms and didn't find the firebird, were riding back to their native land with vacant lands. By chance they stumbled upon their sleeping brother, who was lying beside Princess Elena the Beautiful.

When they saw the steed with gold mane and the firebird in the golden cage, they were much enticed with a thought of killing their brother.

Tsarevich Dmitry took his sword from the quiver, stabbed Tsarevich Ivan and hacked him to pieces. Then he awoke Princess Elena the Beautiful and started questioning her.

«Sweetest maiden! From what tsardom have you come? Who's father's are you daughter and what is your name?»

Princess Elena the Beautiful was horribly frightened when she saw Tsarevich Ivan lying dead. She wept bitterly.

She said crying,

«I am Princess Elena the Beautiful. I was saved by Tsarevich Ivan, whom you have put to the evil death. You would have been valiant knights if you had gone onto the wide field and slayed him honesty. But you have done it when he was asleep, and there is no pride in it. A sleeping man is the same as dead man!»

Then Tsarevich Dmitry set his sword against the heart of beautiful Princess Elena and told her,

«Listen to me, Elena the Beautiful! You are in our hands now. We will take you to our Dad, Tsar Vyslav Andronovich, and you shall tell him that we have procured you as well as the firebird and the golden-maned steed. If you don't say this, I shall finish you at once!»

Прекрасная королевна Елена, испугавшись смерти, обещалась им и клялась всей святынею, что будет говорить так, как ей велено.

Тогда Димитрий-царевич с Василием-царевичем начали метать жребий, кому достанется прекрасная Елена и кому конь златогривый? Жребий пал, что прекрасная королевна должна достаться Василию-царевичу, а златогривый конь Димитрию-царевичу.

Тогда Василий-царевич взял прекрасную королевну Елену, посадил на своего доброго коня. Димитрий-царевич сел на коня златогривого и взял жар-птицу, чтобы вручить ее родителю своему, царю Выславу Андроновичу, и поехали в путь.

Иван-царевич лежал мертв на том месте ровно тридцать дней, и в то время набежал на него серый волк и узнал по духу Ивана-царевича. Захотел помочь ему — оживить, да не знал, как это сделать.

The beautiful princess was frightened by death and started promising and swearing by everything sacred that would be speaking as she was ordered.

Then Tsarevich Dmitry and Tsarevich Vasily cast lots to see who should get the Beautiful Elena and who should get the golden-maned steed. The lots showed the beautiful Elena must go to Tsarevich Vasily and the steed with the golden mane to Tsarevich Dmitry.

Then Tsarevich Vasily took the beautiful princess and put her on his good horse. Tsarevich Dmitry mounted the horse with the golden mane and cage with the firebird to hand it to his parent, Tsar Vyslav Andronovich. They set out for their palace.

Tsarevich Ivan was laying dead exactly thirty days on the ground by the time when the grey wolf stumbled upon him and recognized him by his scent. The grey wolf wanted to help him out, to revive him, but didn't know how to do it.

В то самое время увидел серый волк одного ворона и двух воронят, которые летали над трупом и хотели спуститься на землю и наесться мяса Ивана-царевича.

Серый волк спрятался за куст, и как скоро воронята спустились на землю и начали есть тело Ивана-царевича, он выскочил из-за куста, схватил одного вороненка и хотел было разорвать его надвое. Тогда ворон спустился на землю, сел поодаль от серого волка и сказал ему:

— Ох ты гой еси, серый волк! Не трогай моего детища; ведь он тебе ничего не сделал.

— Слушай, ворон воронович! — молвил серый волк.— Я твоего детища не трону и отпущу здравым и невредимым, когда ты мне сослужишь службу: слетаешь за тридевять земель, в тридесятое государство, и принесешь мне мертвой и живой воды.

На то ворон воронович сказал серому волку:

— Я тебе службу эту сослужу, только не тронь ничем моего сына.

Выговоря эти слова, ворон полетел и скоро скрылся из виду.

На третий день ворон прилетел и принес с собой два пузырька: в одном — живая вода, в другом — мертвая, и отдал те пузырьки серому волку.

Серый волк взял пузырьки, разорвал вороненка надвое, спрыснул его мертвою водою — и тот вороненок сросся, спрыснул живою водою — вороненок встрепенулся и полетел.

Потом серый волк спрыснул Ивана-царевича мертвою водою — его тело срослось, спрыснул живою водою — Иван-царевич встал.

— Ах, как я долго спал!

На то сказал ему серый волк:

— Да, Иван-царевич, спать бы тебе вечно, кабы не я. Ведь тебя братья твои изрубили и прекрасную королевну Елену, и коня златогривого, и жар-птицу увезли с собою. Теперь поезжай как можно скорее в свое отечество. Брат твой, Василий-царевич, женится сегодня на твоей невесте — на пре-

Just at that time, the grey wolf noticed a raven and two young ravens flying over the dead body and willing to come down and to eat the flesh of Tsarevich Ivan.

The grey wolf hid himself behind the bushes and as soon as the young ravens swooped down and started pecking the flesh of Tsarevich Ivan, he rushed out of the bushes, seized one of two young ravens and was about to tear it in two. Then the raven sat on the ground at some distance from the grey wolf and said to him,

«Oh, grey wolf, don't touch my young child. He's done nothing bad to you.»

«Listen, raven,» said the grey wolf, «I shan't touch your child and it will leave unharmed if you will do a service for me. Fly beyond the thirty land, to the thirtieth tsardom and bring me some dead and life water.»

To that the raven said the following,

«I will do this service for you. Just don't harm my child.»

Having pronounced these words the raven took off and soon got out of sight.

On the third day the raven flew back carrying two phials. One contained the life water, another the water for death. He handed these phials to the grey wolf.

The grey wolf took the phials and tore the little raven in two. He sprinkled him with the dead water first, and the raven's parts got together. Then with life water — and the raven recovered.

Then the grey wolf sprinkled the body of Tsarevich Ivan firstly with the dead water and it grew together. Then he sprinkled him with life water and Tsarevich Ivan stood up.

«Oh, so long I have slept!»

The grey wolf answered him,

«Tsarevich Ivan, if it had not been for me you would have slept forever. Your brothers hacked you to pieces and took with them Princess Elena the Beautiful, the goldenmaned steed and the firebird. Now go as fast as you can to your native tsardom. Your brother, Tsarevich Vasily, is about to

красной королевне Елене. А чтоб тебе поскорее туда поспеть, садись лучше на меня, на серого волка. Я тебя на себе донесу.

Иван-царевич сел на серого волка, волк побежал с ним в государство царя Выслава Андроновича и долго ли, коротко ли, прибежал к городу.

Иван-царевич слез с серого волка, пошел в город и, придя во дворец, застал, что брат его Василий-царевич женится на прекрасной королевне Елене. Воротился с нею от венца и сидит за столом. Иван-царевич вошел в палаты, и как скоро Елена Прекрасная увидала его, тотчас выскочила из-за стола, начала целовать его в уста сахарные и закричала:

— Вот мой любезный жених, Иван-царевич, а не тот злодей, который за столом сидит!

Тогда царь Выслав Андронович встал с места и начал прекрасную королевну Елену спрашивать, что бы такое то значило, о чем она говорила? Елена Прекрасная рассказала ему всю истинную правду, что и как было: как Иван-царевич добыл ее, коня златогривого и жар-птицу, как старшие братья убили его сонного до смерти и как стращали ее, чтоб говорила, будто все это они достали.

Царь Выслав весьма осердился на Димитрия и Василия-царевичей и посадил их в темницу. А Иван-царевич женился на прекрасной королевне Елене и начал с нею жить дружно, полюбовно, так что один без другого ни единой минуты пробыть не могли.

marry the Beautiful Elena your bride. To get to there faster you better climb on my grey wolf's back.»

Tsarevich Ivan mounted the grey wolf and he ran to the tsardom of the Tsar Vyslav Andronovich and in either a short time or a long time they reached the town.

Tsarevich Ivan dismounted the grey wolf and went to the town. When he entered the palace there a great feast there and celebration of the wedding of his brother Tsarevich Vasily and Princess Elena the Beautiful. No sooner had Elena the Beautiful seen Tsarevich Ivan, she rushed to him and began to kiss his sweet lips, and cried out,

«This is my beloved bridegroom, but not the villain who sits at the table!»

Then the Tsar Vyslav Andronovich got up from his seat and started questioning Elena the Beautiful as to what could it meant of what she had said. Elena the Beautiful told all the truth about what had happened. How Tsarevich Ivan had got her, the golden-maned steed and the firebird; how his older brothers had slayed him when he was sleeping and scared her to make her say that they had got all that.

Tsar Vyslav Andronovich was terribly crossed with his older sons and ordered to throw them in the dungeon. Tsarevich Ivan married Princess Elena the Beautiful and they lived in true love and friendship and no one of them could spend a single minute without the other's presence.

Vasilisa the Beautiful

В некотором царстве жил-был купец. Двенадцать лет жил он в супружестве и прижил только одну дочь, Василису Прекрасную. Когда мать скончалась, девочке было восемь лет.

Умирая, купчиха призвала к себе дочку, вынула из-под одеяла куклу, отдала ей и сказала:

— Слушай Василисушка! Помни и исполни последние мои слова. Я умираю и вместе с родительским благословением оставляю тебе вот эту куклу. Береги ее всегда при себе и никому не показывай. А когда приключится тебе какое горе, дай ей поесть и спроси у нее совета. Покушает она и скажет тебе, чем помочь несчастью.

Сказав это, мать поцеловала дочку и померла.

После смерти жены купец потужил, как следовало, а потом стал думать, как бы опять жениться.

Он был человек хороший. За невестами дело не стало, но больше всех по нраву ему пришлась одна вдовушка. Она была уже в

There lived a merchant in a certain tsardom. This merchant had lived twelve years with his beloved wife and had only one daughter, who's name was Vasilisa the Beautiful.

When the merchant's wife was dying, she called her daughter, took a doll from under her blanket, gave it to her and said,

«Listen to me, Vasilisushka! Remember and fulfil my last words. I am dying and together with my maternal blessing I am leaving to you this doll . Keep it and never show it to anybody. And if some trouble gets you feed the doll and ask for it's advice. After it has eaten, it will advice you how to overcome the misfortune.»

Then the mother kissed her daughter and died.

After the death of his wife the merchant grieved and started thinking of new marriage.

He was a good man. There was no shortage of brides, but he loved some widow best. She was elderly already and had two daughters of

летах, имела своих двух дочерей, почти однолеток Василисе. Стало быть и хозяйка и мать опытная.

Купец женился на вдовушке, но обманулся и не нашел в ней доброй матери для своей Василисы.

Василиса была первая на все село красавица. Мачеха и сестры завидовали ее красоте, мучили ее всевозможными работами, чтоб она от трудов похудела, а от ветра и солнца почернела.

Совсем житья не было.

Василиса все переносила безропотно и с каждым днем все хорошела и полнела.

А между тем мачеха с дочками своими худела и дурнела от злости, несмотря на то, что они всегда сидели сложа руки, как барыни.

Как же это так делалось?

Василисе помогала ее куколка. Без этого где бы девочке сладить со всею работою!

Зато Василиса сама, бывало, не съест, а уж куколке оставит самый лакомый кусочек.

Вечером, как все улягутся, она запрется в чуланчике, где жила, и потчует ее, приговаривая:

— На, куколка, покушай, моего горя послушай! Живу я в доме у батюшки, не вижу никакой радости. Злая мачеха гонит меня с белого света. Научи ты меня, как мне быть и жить и что делать.

Куколка покушает, да потом и дает ей советы и утешает в горе.

А наутро всякую работу справляет за Василису.

Та только отдыхает в холодке да рвет цветочки, а у нее уж и гряды выполоты, и капуста полита, и вода наношена, и печь вытоплена.

Куколка еще укажет Василисе и травку от загара.

Хорошо было жить ей с куколкой. Прошло несколько лет. Василиса выросла и стала невестой.

her own, who were approximately of the same age with Vasilisa. So she was supposed to be an experienced mother and housewife.

So he got married the widow, but be deceived himself, for she was never good mother for Vasilisa.

Vasilisa was the first beauty in the village. Her stepmother together with sisters envied her beauty, tormented her with all kinds of toil so that she would get thinner and grow black from the wind and sun.

So, her life was really a hardship.

But Vasilisa bore all of that without a murmur and was getting more and more beautiful and plumper from day to day.

Meanwhile, the stepmother with her daughters were growing thinner and uglier from malice. Though, they never laboured and always sat with their hands folded, as if they were ladies.

How could it be like this?

Vasilisa was helped by her doll. Without this she would have never been able to manage all that hassles!

Though, it happened that Vasilisa stayed hungry herself, but the doll was always stuffed.

At night, when everyone was asleep, she would lock herself in the small room where she lived and would treat her doll, saying,

«Eat my little doll! Listen to my trouble. I live in my Dad's house but see no joy. My malicious stepmother hounds me to death. Would you tell me how I should live and what I should do.»

The doll would eat first, then would give her advice and calm her down.

And in the morning, she would do all job for Vasilisa.

Vasilisa just rested in the shade and plucked flowers, and by this time all the vegetable patches were weeded, the cabbage sprayed, the water brought in the house, the thurnest stroked.

The doll would ever show Vasilisa the sun protecting herb.

It was an easy living with the doll. Several years passed. Vasilisa grew up and became a bride.

Все женихи в городе сватаются к Василисе. На мачехиных дочерей никто и не смотрит.

Мачеха злится пуще прежнего и всем женихам отвечает:

— Не выдам меньшой дочери прежде старших!

А проводя женихов, побоями вымещает зло на Василисе.

Вот однажды купцу понадобилось уехать из дому на долгое время по торговым делам.

Мачеха и перешла на житье в другой дом.

Возле этого дома был дремучий лес, а в лесу на поляне стояла избушка.

В избушке жила баба-яга.

Никого она к себе не подпускала и ела людей, как цыплят.

Перебравшись на новоселье, купчиха то и дело посылала за чем-нибудь в лес ненавистную ей Василису, но она всегда возвращалась домой благополучно.

Куколка указывала ей дорогу и не подпускала к избушке бабы-яги.

Пришла осень. Мачеха раздала всем трем девушкам вечерние работы. Одну заставила кружева плести, другую чулки вязать, а Василису прясть.

Погасила огонь во всем доме, оставила только одну свечку там, где работали девушки, и сама легла спать.

Девушки работали. Вот нагорело на свечке. Одна из мачехиных дочерей взяла щипцы, чтоб поправить светильню, да вместо того, по приказу матери, как будто нечаянно и потушила свечку.

— Что теперь делать? — говорили девушки.

— Огня нет в целом доме, а задание матери еще не выполнено. Надо сбегать за огнем к бабе-яге.

— Мне от моих булавок светло,— сказала та, которая плела кружево.— Я не пойду.

— И я тоже не пойду,— сказала та, что вязала чулок.— Мне от моих спиц светло.

She was wooed by each youngster in the village, and no one even glanced at her stepmother's daughters.

The stepmother was getting more and more angry, and she answered everybody,

«I'll not let the youngest daughter marry before the elder ones!»

After next suitor was gone she wreared her anger on Vasilisa by beating her.

Once there came a day when the merchant had to leave for rather long time on some business.

The stepmother began to live in another house.

A thick forest was near this house, and there was a little hut in a glade of the forest.

In the hut lived Baba Yaga.

She allowed nobody to come close to her and ate people as if they were chickens.

After the stepmother moved to a new house, she always sent the hated Vasilisa to the forest. But each time she returned home safe and sound.

Her doll showed the way to her and never let her approach the hut where Baba Yaga lived.

Autumn came. The stepmother gave all the three maidens their evening works. One was made weave the lace, the other had to knit stockings and Vasilisa had to spin.

She put out all the lights in the house except one candle there were the maidens worked, and fell asleep.

The girls worked. One of stepmother's daughters took the scissors to trim the attic and, as if she did it occasionally, but indeed following her mother's order, she extinguished the fire.

«What will we do now?» said the girls.

«There is no more light in the house and our labour is not finished yet. One of us shall run to Baba Yaga and borrow some light from her.»

«The pins in my lace give me enough light,» said the daughter who was weathing. «I don't have to go.»

«I don't have to go either,» said another daughter who was knitting stockings. «My needles give me enough light.»

— Тебе за огнем идти! — закричали обе.— Ступай к бабе-яге!

И вытолкали Василису из горницы.

Василиса пошла в свой чуланчик, поставила перед куклой приготовленный ужин и сказала:

— На, куколка, покушай да моего горя послушай. Меня посылают за огнем к бабе-яге. Баба-яга съест меня!

Куколка поела и глаза ее заблестели, как две свечки.

— Не бойся, Василисушка! — сказала она.— Ступай, куда посылают, только меня держи всегда при себе. При мне ничего не случится с тобой у бабы-яги.

Василиса собралась, положила куколку свою в карман и, перекрестившись, пошла в дремучий лес. Идет она и дрожит.

Вдруг скачет мимо ее всадник. Сам белый, одет в белое, конь под ним белый, и сбруя на коне белая. На дворе стало рассветать.

Идет она дальше, как скачет другой всадник. Сам красный, одет в красное и на красном коне. Стало всходить солнце.

Василиса прошла всю ночь и весь день. Только к следующему вечеру вышла на полянку, где стояла избушка бабы-яги.

Забор вокруг избы из человеческих костей, на заборе торчат черепа людские с глазами. Вместо дверей у ворот — ноги человеческие, вместо запоров — руки, вместо замка — рот с острыми зубами.

Василиса обомлела от ужаса и стала как вкопанная.

Вдруг едет опять всадник. Сам черный, одет во все черное и на черном коне. Подскакал к воротам бабы-яги и исчез, как сквозь землю провалился. Настала ночь.

Но темнота продолжалась недолго. У всех черепов на заборе засветились глаза, и на всей поляне стало светло, как днем.

Василиса дрожала от страха, но, не зная куда бежать, оставалась на месте.

Скоро послышался в лесу страшный шум. Деревья трещали, сухие листья хрустели.

«Then you shall go,» both sisters cried. «Go to Baba Yaga!»

And they pushed Vasilisa out of the room.

Vasilisa entered her small room and put the supper she had prepared before the doll, and said,

«Now my doll eat and listen to my trouble. I am sent for lights to Baba Yaga. Baba Yaga will swallow me!»

The doll ate the supper and it's eyes gleamed like two candles.

«Don't be afraid, Vasilisushka!» it said. «Go to where they sent you and always hold me with you. In my presence Baba Yaga will do no harm to you.»

Vasilisa got prepared, put the doll in her pocket, made the sign of cross and went to the thick forest. She walked and trembled.

Suddenly a rider galloped past her. He was white himself, dressed up in all white, and the horse's harness was also white. Daybreak came to the forest.

She went on ahead and a second rider galloped past her. He was red himself, dressed up in all red, and his horse was red. The sun rose.

Vasilisa was walking the whole night and the whole day. Only by the next evening she came up to the glade where BabaYaga's hut stood.

The fence, surrounding the hut, was made of human bones, and the human skulls with eyes were on the spikes. There were human legs instead of gates and hands instead of bolts, and a mouth with sharp teeth in place of lock.

Vasilisa was frozen with terror and stood as if rooted to the ground.

Suddenly another rider passed by. He was black himself, dressed up in all black, and his horse was black. He galloped up to Baba Yaga's gates and got lost as if swallowed by the earth. Night came.

The eyes of all the skulls on the fence became to gleam and it was dark no more. The glade was bright as if it was day.

Trembling with fear she remained on the spot. She did not know where to run.

Soon a terrible thunder sounded from the woods. All trees were cracking, the dry leaves were crunching.

Выехала из леса баба-яга — в ступе едет, пестом погоняет, помелом след заметает.

Подъехала к воротам, и остановилась и, обнюхав вокруг себя, закричала:

— Фу, фу! Русским духом пахнет! Кто здесь?

Василиса подошла к старухе со страхом и, низко поклонясь, сказала:

— Это я, бабушка! Мачехины дочери прислали меня за огнем к тебе.

— Хорошо,— сказала баба-яга,— знаю я их. Поживи ты вначале да поработай у меня, тогда и дам тебе огня. А коли нет, так я тебя съем!

Потом обратилась к воротам и закричала:

— Эй, запоры мои крепкие, отомкнитесь! Ворота мои широкие, отворитесь!

Ворота отворились, а баба-яга въехала, посвистывая. За нею вошла Василиса, а потом опять все заперлось.

Войдя в горницу, баба-яга растянулась и говорит Василисе:

— Подавай сюда, что там есть в печи: я есть хочу.

Василиса зажгла лучину от тех черепов, что на заборе, и начала таскать из печки да подавать яге кушанье. А еды настряпано было человек на десять.

Из погреба принесла она квасу, меду, пива и вина. Все съела все выпила старуха, Василисе оставила только немножко щей, краюшку хлеба да кусочек поросятины.

Стала яга-баба спать ложиться и говорит:

— Когда завтра я уеду, ты смотри — двор вычисти, избу вымети, обед состряпай, белье приготовь да пойди в закрома, возьми четверть пшеницы и очисть ее от чернушки. Да чтоб все было сделано, а не то съем тебя!

После такого наказа баба-яга захрапела.

Василиса поставила старухины объедки перед куклой, залилась слезами и говорила:

— На, куколка, покушай, моего горя послушай. Тяжелую дала мне яга-баба работу и грозится съесть меня, коли всего не исполню. Помоги мне!

Baba Yaga showed up on the glade. She drove a mortar, hurried it on with a pestle and wiped her tracks with a huge broom.

She rode up to the gates, sniffed the air around her and yielded,

«Fu, fu! It reeks with a Russian smell! Who is here?»

Vasilisa came up with fear to an old witch, bowed low and said,

«It is me, grandmother! My stepsisters sent me to you for some light.»

«Very well,» said Baba Yaga. «I know them. But first live here a bit and work, then I'll give you the light. If not, I will eat you up right away!»

Then she turned to the gates and yielded,

«Hey, my strong bolts, unlock! My wide gate, open up!»

The gate opened, and Baba Yaga entered the yard whistling. Vasilisa followed her and then everything closed up again.

Having entered the hut, Baba Yaga stretched herself out in her bed and told Vasilisa,

«I am hungry. Pass over to me everything you find in the oven.»

Vasilisa lit a torch from those skulls on the fence and started bringing the food for Yaga from the stove. There had been prepared enough food for about ten people.

She brought some kvas, honey, beer and wine from the cellar. Everything was eaten and drunk by old witch. She just left some soup, a slice of bread and a piece of pork for Vasilisa.

Baba Yaga was about going to bed when she told Vasilisa,

«Tomorrow, when I leave, see to it that you sweep the yard and the hut, cook the lunch, get the linen ready, then go to the granaries and sort the wheat out. If anything is not done I will eat you!»

Baba Yaga gave the orders and began to snore.

Vasilisa set the witch supper's leftovers before the doll, burst into bitter tears and said,

«Eat, my little doll, and listen to my trouble. Baba Yaga gave a real job and threatens to eat me if I don't do it all. Help me out!»

И. БИЛИБИНЪ 1900. Ꮆ

Кукла ответила:

— Не бойся, Василиса Прекрасная! Поужинай, помолись да спать ложись. Утро вечера мудренее!

Ранешенько проснулась Василиса, а баба-яга уже встала, уже выглянула в окно. У черепов глаза потухают. Вот промелькнул белый всадник — и совсем рассвело.

Баба-яга вышла на двор, свистнула — перед ней явилась ступа с пестом и помелом. Промелькнул красный всадник — взошло солнце. Баба-яга села в ступу и выехала со двора, пестом погоняет, помелом след заметает.

Осталась Василиса одна, осмотрела дом бабы-яги, подивилась изобилию во всем и остановилась в раздумье: за какую работу ей прежде всего приняться.

Глядит, а вся работа уже сделана. Куколка выбирала из пшеницы последние зерна чернушки.

— Ах ты, избавительница моя! — сказала Василиса куколке.— Ты от беды меня спасла.

— Тебе осталось только обед состряпать,— отвечала куколка, влезая в карман Василисы.— Состряпай с Богом, да и отдыхай на здоровье!

К вечеру Василиса собрала на стол и ждет бабу-ягу. Начало смеркаться. Мелькнул за воротами черный всадник — и совсем стемнело. Только светились глаза у черепов.

Затрещали деревья, захрустели листья. Едет баба-яга. Василиса встретила ее.

— Все ли сделано? — спрашивает яга.

— Изволь посмотреть сама, бабушка! — молвила Василиса.

Баба-яга все осмотрела, подосадовала, что не за что рассердиться, и сказала:

— Ну, хорошо!

Потом крикнула:

— Верные мои слуги, сердечные други, смелите мою пшеницу!

Явились три пары рук, схватили пшеницу и унесли вон из глаз.

Баба-яга наелась, стала ложиться спать и опять дала приказ Василисе:

The doll answered,

«Don't be afraid, Vasilisa the Beautiful! Have your supper, pray and go to the bed. The morning is wiser than the evening!»

Vasilisa got up very early next morning, but Baba Yaga had risen already and was looking out of the window. The eyes of the skulls were going out. Then was a glimpse of the white rider and the day came.

Baba Yaga went out into the yard, whistled, and the mortar together with broom and pestle showed up before her. The red rider flashed by and the sun rose. Baba Yaga mounted the mortar and left the yard, hurring it on by the pestle and wiping her tracks off by the broom.

When Vasilisa was left alone, she looked around Baba Yaga's hut and was amazed by plenty of everything. She stopped and thought what work to do first.

She looked around and saw that everything had been done. The doll was sorting out the last grains.

«Oh, my saviour!» said Vasilisa to her doll. «You have saved my life again!»

«All you have to do,» as the doll answered, getting into Vasilisa's pocket, «is to cook the dinner. Cook it with God's help and rest, for the sake of your health!»

By the evening Vasilisa served the table and waited for Baba Yaga. Dusk was lurking. The black rider glimpsed in the window and night came. Just the skull's eyes were gleaming.

The trees crackled, the leaves rustled. Baba Yaga was coming back. Vasilisa met her.

«Is everything done?» Yaga asked.

«If you please to see yourself, grandmother,» Vasilisa answered.

Baba Yaga examined everything, was upset a bit that there was nothing to get angry about, and said,

«Very well, then!»

Then she cried out,

«My true servants, my heart friends! Mill my wheat!»

Three pairs of hands appeared, took the wheat and dragged it out of sight.

Baba Yaga got stuffed and on her way to bed gave the orders to Vasilisa.

— Завтра сделай ты то же, что и нынче. Да сверх того возьми из закромов мак да очисти его от земли по зернышку. Видишь, кто-то по злобе земли в него намешал.

Сказала старуха, повернулась к стене и захрапела.

А Василиса принялась кормить свою куколку. Куколка поела и сказала ей по-вчерашнему:

— Молись Богу да ложись спать. Утро вечера мудренее. Все будет сделано, Василисушка!

Наутро баба-яга опять уехала в ступе со двора. Василиса с куколкой всю работу тотчас сделали.

Старуха воротилась, оглядела все и крикнула:

— Верные мои слуги, сердечные други, выжмите из мака масло!

Явились три пары рук, схватили мак и унесли с глаз долой. Баба-яга села обедать. Она ест, а Василиса стоит себе молча.

— Что ж ты ни о чем не говоришь? — сказала баба-яга.— Стоишь как немая.

— Не смела,— отвечала Василиса,— а если позволишь, то мне хотелось бы спросить тебя кое о чем.

— Спрашивай, только не всякий вопрос к добру ведет. Много будешь знать — скоро состаришься!

— Я хочу спросить тебя, бабушка, только о том, что видела. Когда я шла к тебе, меня обогнал всадник на белом коне, сам белый и в белой одежде. Кто он такой?

— Это день мой ясный,— отвечала баба-яга.

— Потом обогнал меня другой всадник на красном коне, сам красный и весь в красном одет. Это кто такой?

— Это мое солнышко красное! — отвечала баба-яга.

— А что значит черный всадник, который обогнал меня у самых твоих ворот, бабушка?

— Это ночь моя темная — все мои слуги верные.

«Tomorrow you do the same work you have done today. But besides, take the poppy seeds from the granaries and take off all the ground specks from them. You see, somebody mixed it with ground out of malice.»

The old witch said this, turned to the wall and snored.

Vasilisa started feeding her doll. The doll ate and said the same like it had said yesterday.

«Say you prayings to God and go to bed. The morning is wiser than the evening. Everything will be done, Vasilisushka!»

Next morning Baba Yaga mounted the mortar and left the yard again. Vasilisa and the doll did at once all the work.

The old witch returned home, examined everything and shouted,

«My true servants, my heart friends! Squeeze the oil out of the poppy seeds!»

Three pairs of hands showed up, seized the poppy seeds and got out of sight. Baba Yaga sat down to dinner. Vasilisa stood behind while the witch was eating.

«Why aren't you talking to me?» said Baba Yaga. «Staying like a dumb.»

«I didn't make bold to talk,» answered Vasilisa, «but if you are not against, I would like to ask you about something.»

«Come on, ask! But not every question leads to a happy end. If you know much, you will grow old soon.»

«I want to ask you, grandmother, about what I have just seen. When I was coming to you, a rider on a white horse, dressed in all white overtook me. Who is he?»

«It is my bright day,» Baba Yaga answered.

«Then another rider overtook me. On a red horse and dressed in all red. Who is he?»

«It is my red sun!» answered Baba Yaga.

«But who is the black rider, who overtook me right at your gates, grandmother?»

«It is my dark night! All of them are my true servants.»

Василиса вспомнила о трех парах рук и молчала.

— Что ж ты еще не спрашиваешь? — молвила баба-яга.

— Будет с меня и этого. Сама ж ты, бабушка, сказала, что много узнаешь — состаришься.

— Хорошо,— сказала баба-яга,— что ты спрашиваешь только о том что видела за двором, а не во дворе! Я не люблю, чтоб у меня сор из избы выносили, и слишком любопытных ем! Теперь я тебя спрошу: Как успеваешь ты исполнить работу, которую я задаю тебе?

— Мне помогает благословение моей матери,— отвечала Василиса.

— Так вот что! Убирайся же ты от меня, благословенная дочка! Не нужно мне благословенных.

Вытащила она Василису из горницы и вытолкала за ворота, сняла с забора один череп с горящими глазами и, надев его на палку, отдала ей.

— Вот тебе огонь для мачехиных дочек. Возьми его. Они ведь за этим тебя сюда прислали.

Бегом пустилась Василиса при свете черепа, который погас только с наступлением утра. Наконец к вечеру другого дня добралась она до своего дома. Подходя к воротам, она хотела было бросить череп:

— Верно, дома,— думает себе,— уж больше в огне не нуждаются.

Но вдруг послышался глухой голос из черепа:

— Не бросай меня. Неси меня к своей мачехе!

Она взглянула на дом мачехи и, не видя ни в одном окне огонька, решилась идти туда с черепом.

Впервые встретили ее ласково и рассказали, что с той поры, как она ушла, у них не было в доме огня. Сами высечь никак не могли, а который огонь приносили от соседей — тот погасал, как только входили с ним в горницу.

— Авось твой огонь будет держаться,— сказала мачеха.

Vasilisa remembered about three pairs of hands and was keeping silence.

«Why aren't you asking more?» said Baba Yaga.

«This is enough to me. You, grandmother, told me yourself, that I would grow old soon if I would know much.»

«Good,» said Baba Yaga. «Why are you asking only about you have seen beyond my yard, but never inside! I don't like my dirty linen to be out in public and as to the too inquisitive, I eat them! Now is my turn to ask you something. How do you manage to do the work I am giving to you?»

«My mother blessing helps me,» answered Vasilisa.

«Oh, I see now! Then get out of here, blessed daughter. I don't need blessed ones here.»

She dragged Vasilisa out of hut and pushed her out of the yard. Then she took one skull with burning eyes off the fence, put it on a stick and gave it to Vasilisa.

«Here is the light for your stepmother's daughters. Have it. That's what you are sent for.»

Vasilisa rushed away helped by the light of the skull, which died out only when the day broke out. By another night Vasilisa reached her house. Approaching the gates she was about to get rid of the skull.

«They perhaps need no light any more,» she thought.

But all of a sudden she heard a muffled voice from the skull.

«You shall not throw me. Bring me to your stepmother!»

She threw a look at her stepmother's house and without seeing any light in no one window decided to go there with a skull.

For the first time she was met with kindness. They told her that since she had left they had no fire at their house. They failed to strike a fire themselves and whatever light they were bringing from the neighbours was gone out just at the moment when it was brought into the house.

«Perhaps your fire will stay,» said the stepmother.

Внесли череп в горницу. А глаза из черепа так и глядят на мачеху и ее дочерей, так и жгут! Те было прятаться, но куда ни бросятся — глаза всюду за ними так и следят. К утру совсем сожгли их в уголь. Только одну Василису не тронули.

Поутру Василиса зарыла череп в землю, заперла дом на замок, пошла в город. Попросилась на житье к одной безродной старушке. Живет себе и поджидает отца.

Вот как-то говорит она старушке:

— Скучно мне сидеть без дела, бабушка! Сходи, купи мне льну самого лучшего. Я хоть прясть буду.

Старушка купила льну хорошего и Василиса села за дело. Работа так и горит у нее, и пряжа выходит ровная да тонкая, как волосок.

Набралось пряжи много; пора бы и за тканье приниматься, да таких гребней не найдут, чтобы годились на Василисину пряжу; никто не берется и сделать-то. Василиса стала просить свою куколку.

Та и говорит:

— Принеси-ка мне какой-нибудь старый гребень, да старый челнок, да лошадиной гривы. Я все тебе смастерю.

Василиса добыла все, что надо, и легла спать. Кукла за ночь приготовила славный стан.

К концу зимы и полотно выткано. Да такое тонкое, что сквозь иглу вместо нитки продеть можно. Весной полотно выбелили.

Василиса говорит старухе:

— Продай, бабушка, это полотно, а деньги возьми себе.

Старуха взглянула на товар да только ахнула:

— Нет, дитятко! Такого полотна, кроме царя, носить некому. Понесу во дворец.

Пошла старуха к царским палатам да все мимо окон похаживает.

Царь увидел и спросил:

— Что тебе, старушка, надобно?

— Ваше царское величество,— отвечает

The skull was brought into the room. It's eyes were staring at the stepmother and her daughters and burning them. They would try to hide but wherever they would rush, the eyes found them everywhere. By next morning they were burnt to ashes. Only Vasilisa remained untouched.

In the morning Vasilisa buried the skull in the ground, locked up the door and went to the town. She asked some childless old woman to let her live in her house for a while. And she lived there, waiting for her father.

Some day she said to an old woman,

«I am bored to sit workless, grandmother. Go and buy some flax, but let it be the best. I will spin at least.»

The old woman bought the best flax and Vasilisa got down to work. The work went on swimmingly, and the threads went out flat and thin as hair.

It is already much yarn. High time to start spinning, but there weren't any combs fitting Vasilisa's yarn and no one was able to make one. Then Vasilisa began to ask her doll.

The doll said,

«Bring me some old comb, an old shuttle, and some horse's mane. I will contrive everything for you.»

Vasilisa got everything needed and went to bed. At night the doll made a nice wearing loom.

By the end of winter the linen was woven. It was so thin that could easily been pulled like a thread through a needle's eye. In the spring they bleached the linen.

Vasilisa said to an old woman,

«Sell this linen, grandmother, and take the money for yourself.»

The old woman had a look at the linen and exclaimed,

«No, my child. No one except the tsar shall wear such linen. I will bring it to the palace.»

The old woman went to the palace and paced up and down beneath the tsar's windows.

The tsar saw her and asked,

«What do you need, old woman?»

«Your Majesty,» she answered. «I have

41

старуха,— я принесла диковинный товар. Никому, кроме тебя, показать не хочу.

Царь приказал впустить к себе старуху. Как увидел полотно — удивился.

— Что хочешь за него? — спросил царь.

— Ему цены нет, царь-батюшка! Я тебе в дар его принесла.

Поблагодарил царь и отпустил старуху с подарками.

Стали царю из того полотна сорочки шить. Скроить-то скроили, да нигде не могли найти такой мастерицы, которая взялась бы их сшить. Очень долго искали.

Наконец царь велел позвать старуху и сказал ей:

— Умела ты напрясть и соткать такое полотно, умей из него и сорочки сшить.

— Не я, государь, пряла и соткала полотно,— сказала старуха.— Это работа приемыша моего — девушки.

brought remarkable wares to you. I don't want to show it to anybody except you.»

The tsar ordered to let her in. He was amazed when he saw the linen.

«What do you want in return?» asked the tsar.

«This is a gift to you, Tsar-father. It has no price.»

The tsar thanked her and let her go with many gifts.

The servants began to make shirts for the tsar out of this linen. The linen was cut out, but they couldn't find anywhere a seamstress who would have undertaken to sew it. They were searching for a long time.

Finally, the tsar called the old woman and told her,

«You managed to spin and weave such a linen, so you must be able to sew shirts of it.»

«This was not me who spun it and wove, my Tsar,» she said. «This is work of my adopted child, who is a maiden.»

— Ну так пусть и сошьет она!

Воротилась старушка домой и рассказала обо всем Василисе.

— Я знала,— сказала Василиса,— что это моих рук не минует.

Заперлась в свою горницу, принялась за работу. Шила она не покладая рук, и скоро дюжина сорочек была готова.

Вот старуха и понесла к царю сорочки на показ.

А Василиса умылась, причесалась, оделась и села под окном. Сидит себе и ждет, что будет. Видит: на двор к старухе идет царский слуга.

Вошел в горницу и говорит:

— Царь-государь хочет видеть искусницу, что сшила ему сорочки, и наградить ее из своих царских рук.

Пошла Василиса и явилась перед очи царские. Как увидел царь Василису Прекрасную, так и влюбился в нее без памяти.

— Нет,— говорит он,— красавица моя! Не расстанусь я с тобою. Ты будешь моей женой.

Тут взял царь Василису за белые руки, посадил ее подле себя, а там и свадьбу сыграли. Скоро воротился и отец Василисы, порадовался ее судьбе и остался жить при дочери. Старушку Василиса взяла к себе, а куколку до конца жизни своей всегда носила в кармане.

«So then let her sew it!»

The old woman returned to her house and told Vasilisa about everything.

«I knew always,» said Vasilisa, «that it would not pass by me.»

She locked up herself in her room and started working. She was sewing and never gave her hands to rest and soon a dozen shirts were made.

The old woman brought the shirts to the tsar's palace.

Vasilisa washed herself, combed her hair, dressed up and sat near the window. She was sitting and waiting for what would happen. She saw a tsar's servants coming to the old woman.

He entered the room and said,

«The tsar's will is to see the past master who made these shirts and to award her from his royal hands.»

Vasilisa went to the palace and appeared before the royal eyes. As soon as the tsar saw Vasilisa he fell in love with her forever.

«Never, my beauty,» said the tsar, «I shall part with you. You shall become my wife.»

He took Vasilisa by her white hands, sat her near him, and at once they married. Soon the merchant, Vasilisa's father, returned. He was happy to know her lucky fortune, and came to live with his daughter. Vasilisa took the old woman to live with her and always kept her doll and carried it in her pocket.

ЦАРЕВНА-ЛЯГУШКА·

Tale of the Frog Tsarevna

В старые годы, в старопрежни, у одного царя было три сына — все они на возрасте. Царь и говорит:

— Дети! Сделайте себе по самострелу и стреляйте. Какая женщина принесет стрелу, та и невеста. Ежели никто не принесет, тому, значит, не жениться.

Большой сын выстрелил, принесла стрелу княжеская дочь.

Средний выстрелил, стрелу принесла генеральская дочь.

А малому Ивану-царевичу принесла стрелу из болота лягуша в зубах.

Те братья были веселы и радостны, а Иван-царевич призадумался, заплакал.

— Как я стану жить с лягушей? Век жить — не реку перебрести или не поле перейти!

Long-long ago, in ancient times there lived a tsar who had three sons. All of them grown up. Once the tsar told them,

«Children! Each of you make a bow and shoot. The woman who brings your arrow back will become your bride. The one who's arrow won't be brought back won't get married.»

The eldest son shot, and his arrow was brought back by a prince's daughter.

The middle son shot, and a general's daughter brought his arrow back to him.

But the smallest Tsarevich Ivan's arrow was brought back by a frog who held it in her teeth.

The eldest brothers were happy joyful but Tsarevich Ivan fell into thinking and wept.

«How will I live with a frog? To live a lifetime means more than to cross a field or to drag oneself over a river!»

44

Поплакал-поплакал, да нечего делать — взял в жены лягушу. Их всех обвенчали по ихнему там обряду. Лягушу держали на блюде.

Вот живут они. Царь приказал однажды посмотреть от невесток дары, которая из них лучше мастерица. Иван-царевич опять призадумался, плачет:

— Чего у меня сделает лягуша! Все станут смеяться.

Лягуша ползает по полу, только квакает.

Как уснул Иван-царевич, она вышла на улицу, сбросила кожух, сделалась красной девицей и крикнула:

— Няньки-мамки! Сделайте то-то!

Няньки-мамки тотчас принесли рубашку самой лучшей работы. Она взяла ее, свернула и положила возле Ивана-царевича. А сама обернулась опять лягушей, будто ни в чем не бывало!

Иван-царевич проснулся, обрадовался, взял рубашку и понес к царю.

Царь принял, посмотрел на нее и сказал:

— Ну, вот это рубашка — во Христов день надевать!

Средний брат принес рубашку. Царь сказал:

— Только в баню в ней ходить!

А у большого брата взял рубашку и сказал:

— Такую рубашку только в черной избе носить!

Разошлись царские дети. Двое-то и судят между собой:

— Нет, видно, мы напрасно смеялись над женой Ивана-царевича. Она не лягуша, а какая-нибудь чародейка!

Вот царь дает опять приказанье, чтоб снохи состряпали хлеба и принесли ему на показ, которая из них лучше стряпает?

Те невестки сперва смеялись над лягушей. Теперь, как пришло время, они и послали горничную подсматривать, как она станет стряпать.

He wept and wept but could do nothing and married a frog and all of them were wed in accordination with their local customs. The frog was sitting on a dish.

So they lived. Once the tsar ordered to bring him the gifts from the brides to see who of them was the most skillful. Tsarevich Ivan fell into thinking again and wept.

«What my frog is able to make! Everyone will be laughing.»

The frog just crept all around and croaked.

Then Tsarevich Ivan fell asleep. The frog went out in the street, threw off her skin, turned into a beautiful maiden and cried out,

«Nannies and mammas! Make something!»

The nannies-mammas brought immediately a shirt of the finest workmanship. She folded the shirt and put it near Tsarevich Ivan and she herself turned back into the frog as if nothing had happened!

Tsarevich Ivan awoke, was very glad and brought the shirt to the tsar.

The tsar took the shirt, looked at it rapturously and said,

«Well, this is really a shirt to be worn only on festive occasions!»

When the middle son brought the shirt, the tsar said,

«This one is good to be worn in the hot bath!»

And from eldest son he took the shirt and said,

«As to this one it's good only for the poor peasant hut.»

All the tsar's sons left and two of them were discussing and argueing,

«We shouldn't have laughed at Tsarevich Ivan's wife. She is not a frog, but some evil sorceress!»

The tsar than gave another order to his daughters-in-law that they should bake a bread each so that he could see who of them was the best in baking.

At first the eldest son's wives made fun of the frog. Now they sent their nursemaids to spy on the frog and see how she would be cooking.

И. БИЛИБИНЪ.

Лягуша смекнула это, взяла, замесила квашню, скатала, печь сверху выдолбила, да прямо туда квашню и опрокинула.

Горничная увидела, побежала, сказала своим барыням, царским невесткам, и те так же сделали.

А лягуша хитрая только их провела. Тотчас тесто из печи выгребла, все очистила, замазала, будто ни в чем не бывало.

А сама вышла на крыльцо, вывернулась из кожуха и крикнула:

— Няньки-мамки! Состряпайте сейчас же мне хлебов таких, какие мой батюшка по воскресеньям да по праздникам только ел.

Няньки-мамки тотчас притащили хлеб. Она взяла его, положила возле Ивана-царевича, а сама сделалась лягушей.

Иван-царевич проснулся, взял хлеб и понес к отцу. Отец в то время принимал хлеба от старших братьев. Их-то жены как поспускали в печь хлеба так же, как лягуша сделала,— у них и вышло кулимули.

Царь вначале принял хлеб от старшего сына, посмотрел и отослал на кухню. От середнего принял, туда же послал.

Дошла очередь до Ивана-царевича. Он подал свой хлеб.

Отец принял, посмотрел и говорит:

— Вот это хлеб — во Христов день есть! Не такой, как у старших снох, с закалой!

После того вздумалось царю сделать бал, посмотреть своих сношек, которая лучше пляшет? Собрались на этот бал все гости и снохи, кроме Ивана-царевича.

Он задумался.

— Куда я с лягушей поеду?

И заплакал навзрыд наш Иван-царевич.

Лягуша и говорит ему:

— Не плачь, Иван-царевич! Ступай на бал. Я через час буду.

Иван-царевич немного обрадовался, как услыхал, что лягуша говорит и уехал. А лягуша пошла, сбросила с себя кожух, оделась чудо как!

The frog got it, mixed up her dough, rolled it, hollowed out the thurnest and toppled the dough over right in the hale.

The nursemaids saw this, ran right to their mistresses, tsareviches wives, and those did it the same way.

But the cunning frog just fooled them. Right away she raked the dough out of the thurnest, cleaned everything and plastered up as it had always been the same.

Then she went out to the porch, threw the frog's skin off and cried out,

«Nannies and mammas! Bake immediately some bread the same as my father ate only on Sundays and holidays.»

The nannies brought the bread at once. She took it, put near Tsarevich Ivan and turned into a frog again.

Tsarevich Ivan awoke, took the bread and brought it to his father. Just then the tsar was examining his older sons had submitted to him. Their wives had pushed the dough into the thurnest the way the frog had done it and what they received was fiddle-sticks.

First the tsar examined the eldest son's bread and sent it back to the kitchen. The middle son's bread was sent to the kitchen too.

Then it was Tsarevich Ivan's turn. He handed his bread to the tsar.

The father accepted it, examined and said,

«This bread is indeed to be eaten on a holiday! Not the slab like my eldest daughters-in-law have cooked!»

After that it occured to the tsar to give a ball in order to see who of his daughters-in-law was the best dancer. All the guests and daughters-in-law got together, only Tsarevich Ivan's wife didn't come.

He fell into thinking,

«Where can I go with a frog?»

And he burst into tears.

Then the frog said to him,

«Don't cry, Tsarevich Ivan! Go to the ball. I'll be there in one hour.»

Tsarevich Ivan rejoiced a bit when he heard what the frog said and left. The frog threw off her skin and dressed up extraordinarily.

Приезжает на бал. Иван-царевич обрадовался, и все руками хлопали: какая красавица!

Вот начали гости царевы пить да закусывать. Царевна огложет кость, да и в рукав. Выпьет чего — остатки в другой рукав.

Другие-то снохи видят, что царевна делает, и они тоже кости кладут к себе в рукава, пьют чего — остатки льют в рукава.

Дошла очередь танцевать. Царь посылает старших снох, а они ссылаются на лягушу. Та тотчас подхватила Ивана-царевича и пошла. Уж она плясала-плясала, вертелась-вертелась — всем на диво!

Махнула правой рукой — стали леса и воды. Махнула левой — стали летать разные птицы. Все гости тут изумились. Отплясала — ничего не стало, как не было.

Другие снохи пошли плясать. Так же хотели. Которая правой рукой ни махнет, у той кости-та и полетят, да в людей. Из левого рукава вода разбрызжет — тоже в людей.

Царю не понравилось, закричал:
— Будет, будет!
Снохи перестали.

Бал заканчивался. Иван-царевич поехал первым, нашел там где-то женин кожух, взял его да и сжег.

Та приезжает, хватилась кожуха: нет — сожжен.

Легла спать с Иваном-царевичем, перед утром и говорит ему:
— Ну, Иван-царевич, немного ты не потерпел; твоя бы я была, а теперь Бог знает. Прощай! Ищи меня за тридевять земель, в тридесятом царстве.

И не стало царевны.

Вот год прошел, Иван-царевич тоскует о жене. На другой год собрался, выпросил у отца, у матери благословенье и пошел.

Идет долго, вдруг попадается ему избушка — стоит она к лесу передом, к нему задом.

She went to the ball. Tsarevich Ivan was glad unspeakably and all the guests applauded to the beauty of his wife.

Everybody started eating and drinking. The tsarevna would bite a bone and put it in her sleeve. She would drink something and pour the rest into another sleeve.

The daughters-in-law saw what she did and did the same. They were putting bones in one sleeve, and the rest from the wine poured in another sleeve.

Then it was time for dancing. The tsar sent the elder daughters-in-law to dance, but they pointed to the frog. She at once took Tsarevich Ivan and went with him to dance. She would dance and dance, spin and spin, it was a real pleasure to look.

She waved her right hand and woods and waters showed up. She waved her left hand and various birds started flying all around. All were amazed. She quit dancing and everything disappeared.

The other daughters-in-law went also to dance. They wanted to repeat what the frog had done. Both waved their right hands and the bones flew straight into people, waved their left hands and the wine splashed into guests.

The tsar got angry.
«Stop it! Stop it!» he yeilded.
The daughters-in-law quit dancing.

When the ball was coming to the end Tsarevich went home first, found somewhere there his wife's skin and threw it into the fire.

As wife came home and started looking for the skin, but didn't find it. It was burned.

She went to bed with Tsarevich Ivan and told him in the morning,

«You had to wait very few and I would have become yours forever. But now God knows. Farewell! Look for me very far in the thrice ninth land, in the thrice ninth tsardom.»

And the tsarevna got lost.

A year passed and Tsarevich Ivan kept missing his wife. Next year he got prepared for the journey, solicited his parents for the blessing and was gone.

He had been walking for a long time when stumbled over a hut which stood with it's front side to the woods and with it's back to him.

Он и говорит:

— Избушка, избушка! Стань по-старому, как мать поставила, — к лесу задом, а ко мне передом.

Избушка перевернулась. Вошел в избу. Сидит старуха:

— Фу, фу! Русской кости слыхом было не слыхать, видом не видать, нынче русская кость сама на двор пришла! Куда ты, Иван-царевич, пошел?

— Прежде, старуха, напои-накорми, потом вести расспроси.

Старуха напоила-накормила и спать положила. Иван-царевич говорит ей:

— Бабушка! Вот я пошел добывать Елену Прекрасную.

— Ой, дитятко, как ты долго не был! Она с первых-то годов часто тебя вспоминала, а теперь уж не помнит, да и у меня давно не бывала. Ступай вперед к средней сестре. Та больше знает.

Иван-царевич поутру отправился, дошел до избушки и говорит:

— Избушка, избушка! Стань по-старому, как мать поставила,— к лесу задом, а ко мне передом.

Избушка перевернулась. Он вошел в нее, видит — сидит старуха:

— Фу! Фу! Русской кости слыхом было не слыхать и видом не видать, а нынче русская кость сама на двор пришла! Куда, Иван-царевич, пошел?

— Да вот, бабушка, добывать Елену Прекрасную.

— Ой, Иван-царевич,— сказала старуха,— как ты долго! Она уж стала забывать тебя, выходит замуж за другого. Скоро свадьба! Живет теперь у старшей сестры. Ступай туда да смотри ты: как станешь подходить — у нее узнают. Елена обернется веретенышком, а платье на ней будет золотом. Моя сестра золото станет вить. Как совьет веретенышко и положит в ящик, и ящик запрет, ты найди ключ, отвори ящик, веретенышко переломи, кончик брось назад, а корешок впереди себя. Она и очутится перед тобой.

He said,

«Little hut! Little hut! Stand up the old way, the way your mother set you, with your back to the woods and with your front to me.»

The little hut turned around. He entered and saw an old woman sitting inside.

«Fu, fu! It was never heard of a Russian bone, never seen a glimpse of a Russian bone! Now Russian bone has come by it's own will. Where are you trevelling, Tsarevich Ivan?»

«First, old woman, let me eat and drink. Then ask me about the news.»

The old woman gave him to eat and drink and led him to bed. Tsarevich Ivan told her,

«Grandmother! I am coming to get Elena the Beautiful.»

«Oh, my poor child! So long haven't you been here. First years she way reminding you often. But now she doesn't remember you and I haven't seen her for a long time. Go now to my middle sister. She knows more than me.»

Next morning Tsarevich Ivan left and come to another hut.

«Little hut! Little hut! Stand up the way your mother set you, with your back to the woods and with your front to me.»

The hut turned around. He entered and saw an old woman sitting inside.

«Fu, fu! I was never heard of a Russian bone, never seen a glimpse of a Russian bone. Now Russian bone has come by it's own will. Where are you trrevelling, Tsarevich Ivan?»

«I am coming for Elena the Beautiful, grandmother.»

«Oh, Tsarevich Ivan, » said the old woman. «You are too late. She started forgetting you already and now she is about to marry someone another. She lives now with my elder sister. Go there, but look when you come close to the hut they will recognize you. Elena will be returned into a spindle and her dress will be pure gold. My sister will start winding the gold thread. When she finishes with her winding and put the thread in the box and locks it up, you must find the key, open the box, break the spindle, throw back the top of it and the bottom of it in front of you. And then Elena will appear before you.»

Пошел Иван-царевич, дошел до этой старухи, зашел в избу. Та вьет золото. Свила его веретенышко и положила в ящик, заперла ящик и ключ куда-то положила.

Он взял ключ, отворил ящик, вынул веретенышко и переломил по сказанному, как по писанному, кончик бросил за себя, а корешок впереди себя. Вдруг и очутилась Елена Прекрасная, начала здороваться:

— Ой, да как ты долго, Иван-царевич! Я чуть за другого замуж не вышла.

А тому жениху надо скоро быть. Елена Прекрасная взяла ковер-самолет у старухи, села на него, и понеслись, как птицы полетели.

Жених-то за ними вдруг и приехал, узнал, что они уехали. Но он был тоже хитрый!

Он пустился за ними в погоню, гнал, гнал, только сажон десять не догнал. Они на ковре влетели в Русь, а ему нельзя как-то в Русь-то. Воротился.

Те прилетели домой. Все обрадовались, стали жить — поживать да добра наживать — на славу всем людям.

Tsarevich Ivan left. He found the third woman's hut and entered it. The old woman was winding the gold thread. She finished her work, put the spindle in the box, locked it and put the key somewhere.

He found the key, opened the box, took the spindle and broke it as it has had been said to him, threw the top back and the bottom in front of him. Suddenly Elena the Beautiful showed up before him and greeted him.

«How late you are, Tsarevich Ivan! I have almost married someone another.»

And another groom was about to show up. Elena the Beautiful took a flying carpet from the old woman, sat on it with and they were rushing like birds.

The other bride suddenly appeared and found that they had gone. He was also cunning!

He pursued them. He chased and chased and about only ten yards to get them failed. On the carpet they flew into Russia, but he some way was not allowed to Russia. He returned back.

They came home. Everybody was glad unspeakably and they began to live happily and they were prospering to the glory of all people.

Перышко Финиста Ясна-Сокола.

Tale of the feather of Finist, the bright Falcon

Жил-был старик, у него было три дочери. Старшая и средняя — щеголихи, а меньшая работница была, только о хозяйстве и радела.

Собирается отец в город и спрашивает у своих дочерей: которой что в подарок купить?

Старшая просит:

— Купи мне на платье!

И средняя то же говорит.

— А тебе что, дочь моя любимая? — спрашивает у меньшой.

— Купи мне, батюшка, перышко Финиста ясна сокола.

Отец простился с дочерьми и уехал в город.

Старшим дочерям купил на платье, а перышка Финиста ясна сокола нигде не нашел.

Воротился домой, старшую и среднюю дочерей обновами обрадовал.

— А тебе,— говорит меньшой,— не нашел перышка Финиста ясна сокола.

— Так и быть,— сказала она,— может, в другой раз посчастливится найти.

Старшие сестры кроят, да обновы себе шьют, да над нею посмеиваются. А она знай отмалчивается.

Once upon a time there lived an old man who had three daughters. The eldest and middle sisters were women of fashion, but the youngest one was taking care about the housekeeping.

One day the father decided to go to town and asked his daughters what present would like to get each of them.

The eldest daughter said,

«Buy me some linen for a dress.»

The middle daughter asked about the same.

«And what would you like to receive, my beloved daughter?» he asked his youngest.

«Buy me a feather of Finist, the Bright Falcon, my dear father.»

The father said good-buy to his daughters and went to town.

He bought the linen for his elder daughters, but failed to find anywhere a feather of Finist the Bright Falcon.

He returned home and his elder daughters were happy to receive new garments.

«But I couldn't find a feather of Finist the Bright Falcon for you,» he said to his youngest.

«So, let it be,» she said. «May be next time you will be more lucky and find it.»

The elder daughters cut out their linen, sewed the new garments and laughed at their youngest sister. But she kept silence all the time.

Опять собирается отец в город и спрашивает:

— Ну, дочки мои дорогие, что вам купить?

Старшая и средняя просят по платку купить, а меньшая говорит:

— Купи мне, батюшка, перышко Финиста ясна сокола.

Отец поехал в город, купил два платка, а перышка и в глаза не видел.

Воротился назад и говорит:

— Ах, дочка, ведь я опять не нашел перышка Финиста ясна сокола.

— Ничего, батюшка. Может, в иное время посчастливится.

Вот и в третий раз собирается отец в город и спрашивает своих дочерей, которой что купить.

Старшие говорят:

— Купи нам серьги.

А меньшая опять свое:

— Купи мне перышко Финиста ясна сокола.

Отец купил золотые серьги, бросился искать перышко — никто о таком не слышал. Опечалился и поехал из городу. Только за заставу, а навстречу ему старичок несет коробочку.

— Что несешь, старина?

— Перышко Финиста ясна сокола.

— Что за него просишь?

— Давай тысячу.

Отец заплатил деньги и поспешил домой с коробочкой.

Встречают его дочери.

— Ну, дочь моя любимая,— говорит он меньшой,— и тебе я купил подарок. На, возьми.

Меньшая дочь чуть не прыгнула от радости. Взяла коробочку, стала ее целовать-миловать, крепко к сердцу прижимать.

После ужина разошлись все спать по своим светелкам. Пришла и она в свою горницу, открыла коробочку. Перышко Финиста ясна сокола тотчас вылетело, ударилось об пол, и явился перед девицей прекрасный царевич. Повели они меж собой речи сладкие, хорошие.

Again the father decided go out to town and asked,

«Well, my daughters, what kind of present would you like to receive?»

The elder daughters asked to buy kerchief for each and the youngest said,

«My dear father! Buy me a feather of Finist the Bright Falcon.»

The father went to town, bought two kerchiefs, but never saw a feather.

He returned home and said,

«Oh, my dear daughter! This time I haven't found a feather again.»

«Never mind, father. May be next time you'll be more lucky.»

For the third time the father was about to go to town and asked his daughters what to buy for them.

The eldest sisters said,

«Buy earrings for us».

But the youngest said again,

«Buy me a feather of Finist the Bright Falcon.»

The father bought the golden earrings and began to look for the feather. Nobody heard anything about it. He became upset and left the town. As soon as he crossed the town's gate he met an old man who carried a small box.

«What are you carrying, old man?»

«A feather of Finist the Bright Falcon.»

«What do you want to get for it in exchange?»

«Give a thousand.»

The father paid the money and hurried home with the little box.

His daughters met him.

«My beloved daughter,» the father said to the youngest, «Finally, I have bought the present for you. Take it!»

The youngest daughter all but jumped with joy. She took the box and started kissing and fostering it. She pressed it tightly to her bust.

After supper everybody went to bed to their rooms. The youngest also came to her room and opened the box. The feather of Finist the Bright Falcon flew out at once, struck against the floor and a yound tsarevich showed up before the maiden. And they began to talk to each other sweetly and tenderly.

Услыхали сестры и спрашивают:

— С кем, сестрица, ты разговариваешь?

— Сама с собой,— отвечает красна девица.

— А ну, отопрись!

Царевич ударился об пол — и сделался перышком. Она взяла, положила перышко в коробочку и отворила дверь. Сестры и туда смотрят и сюда заглядывают — нет никого.

Только они ушли, красная девица открыла окно, достала перышко и говорит:

— Полетай, мое перышко во чисто поле. Погуляй до поры до времени!

Перышко обратилось ясным соколом и улетело в чистое поле.

На другую ночь прилетает Финист ясный сокол к своей девице. Пошли у них разговоры веселые. Сестры услыхали и тотчас к отцу побежали:

— Батюшка, у нашей сестры кто-то по ночам бывает. И теперь сидит да с нею разговаривает.

Отец встал и пошел к меньшой дочери, входит в ее горницу, а царевич уж давно обратился перышком и лежит в коробочке.

— Ах вы, негодные! — накинулся отец на своих старших дочерей.— Что вы на нее понапрасну взводите? Лучше бы за собой присматривали.

На другой день сестры пошли на хитрость. Вечером, когда на дворе совсем стемнело, подставили лестницу, набрали острых ножей да иголок и натыкали на окне красной девицы.

Ночью прилетел Финист ясный сокол. Бился, бился — не мог попасть в горницу. Только крылышки себе обрезал.

— Прощай, красная девица,— сказал он.— Если вздумаешь искать меня, то ищи за тридевять земель, в тридесятом царстве. Прежде три пары башмаков железных истопчешь, три посоха чугунных изломаешь, три просвиры каменных изгложешь, чем найдешь меня, добра молодца!

А девица спит себе: хоть и слышит сквозь сон эти речи неприветливые, а встать-пробудиться не может.

The sisters heard them and asked,

«Who are you talking to, little sister?»

«With myself,» she answered.

«Open up, then!»

The tsarevich struck himself against the floor and became a feather again. She took the feather, put it in the box and unlocked the door. The sisters entered, looked around and found nobody.

No sooner they had gone, the pretty maiden opened the window, drew out a feather and said,

«Fly a bit, my feather, in the wide field. Have a work till the proper time comes.»

The feather turned into a bright falcon and flew away.

Next night Finist the Bright Falcon flew to his maiden. And they began to talk to each other cheerfully. The sisters heard them and run to their father at once.

«Father! Our sister has somebody and he visits her at night. Even now he is at her room and they are speaking with each other.»

The father got up and went to his daughter's room, but the tsarevich by this time had turned into a feather already and flew into the box.

«Ah, you mischievous girls!» the father scolded his elder daughters. «Why are you accusing her meanly? You'd better watch yourself!»

Next day the sisters decided to use cunning. In the evening, when it was dark outside, they put the ladder, gathered sharp knives and needles and stuck them on their sister's window frame.

At night Finist the Bright Falcon flew. He kept on beating on the window but failed to fly in. Just cut his wings.

«Farewell, my sweet maiden,» he said. «If you decide to look for me, then go beyond the thirtieth land and the thirtieth tsardom. First you will wear out three pairs of iron shoes, break three iron crooks and gnaw away three wafers made of stone. Then you will find me.»

But the maiden kept on sleeping. Although she heard these speeches in her sleep, she was unable to getup.

Утром просыпается, смотрит — на окне ножи да иглы натыканы, а с них кровь так и капает. Всплеснула руками:

— Ах, Боже мой! Знать сестрицы сгубили моего друга милого!

В тот же час собралась и ушла из дому.

Побежала в кузницу, сковала себе три пары башмаков железных да три посоха чугунных, запаслась тремя каменными просвирами и пустилась в дорогу искать Финиста ясна сокола.

Шла-шла, пару башмаков истоптала, чугунный посох изломала и каменную просвиру изглодала.

Приходит к избушке и стучится:

— Хозяин с хозяюшкой! Укройте меня от темной ночи.

Отвечает старушка:

— Милости просим, красная девица! Куда идешь, голубушка?

— Ах, бабушка! Ищу Финиста ясна сокола.

— Ну, красна девица, далеко ж тебе искать будет!

Наутро говорит старуха:

— Ступай теперь к моей средней сестре. Она тебя добру научит. А вот тебе мой подарок: серебряное донце, золотое веретенце. Станешь кудель прясть — золотая нитка потянется.

Потом взяла клубочек, покатила по дороге и наказала вслед за ним идти, куда клубочек покатится, туда и путь держи. Девица поблагодарила старуху и пошла за клубочком.

Долго ли, коротко ли, вот уж другая пара башмаков изношена, другой посох изломан, еще каменная просвира изглодана. Наконец прикатился клубочек к избушке.

Она постучалась:

— Добрые хозяева! Укройте от темной ночи красную девицу!

— Милости просим,— отвечает старушка.— Куда идешь, красная девица?

— Иду я и ищу, бабушка, Финиста ясна сокола.

— Далеко ж тебе искать будет!

Next morning she woke up, looked around and noticed knives and needles stuck in the frame and blood draining from them. She waved her hands.

«Ah my Lord! My sisters must have killed my beloved friend!»

Right away she got ready and left her house.

She ran to a blacksmith's house, hammered three pairs of iron shoes and three iron crooks, provided herself with three wafers made of stone and hit the road in search of Finist the Bright Falcon.

She walked and walked, and wore one pair of shoes, broke one crook and gnawed away a stone wafer.

She came to a hut and knocked at the door,

«Host and hostess! Accomodate me for a night.»

An old woman answered,

«You are welcome, lovely maiden! Where are you going, little dove?»

«Oh, grandmother. I am looking for Finist the Bright Falcon.»

«Oh, lovely maiden. This is a long way to walk!»

In the morning the old woman said,

«Now go to my middle sister. She will give you good advice. And this is my present to you — a silver wheel for spinning and a golden spindle. When you spin a tow, you will draw out a golden thread.»

Then she took a clew, rolled it along the road and told the girl to follow it. She thanked the old woman and followed the clew.

Either a long or a short time it took, but the second pair of iron shoes was worn out, the second crook was broken and the wafer made of stone was gnawed away. Finally a clew led her to a hut.

She knocked at the door and said,

«Kind hosts! Give a shelter to a lovely maiden from the dark night!»

«Welcome, come in,» an old woman answered. «Where are you going, lovely maiden?»

«I am looking for Finist the Bright Falcon, grandmother.»

«Long way you will have a to go.»

Поутру дает ей старушка серебряное блюдо и золотое яичко.

— Ступай теперь к моей старшей сестре. Она знает, где найти Финиста ясна сокола.

Простилась красная девица со старухою и пошла в путь-дорогу. Шла, шла, третья пара башмаков истоптана, третий посох изломан, последняя просвира изглодана — прикатился клубочек прямо к избушке.

In the morning the old woman gave her a silver dish and a golden egg.

«Go now to my elder sister. She knows where to find Finist the Bright Falcon.»

The lovely maiden said farewell to the old woman and hit the road again. She walked and walked. The third pair of iron shoes was worn out, the third iron crook got broken and the third wafer made of stone gnawed away. The clew rolled up to a small hut.

Стучится и говорит странница:

— Добрые хозяева, укройте от темной ночи красную девицу!

Опять вышла старушка.

— Поди, поди сюда голубушка! Милости просим! Откуда идешь и куда путь держишь?

— Ищу, бабушка, Финиста ясна сокола.

— Ох, трудно, трудно отыскать его! Он живет теперь в этаком-то городе, на просвирниной дочери там женился.

Наутро говорит старуха красной девице:

— Вот тебе подарок: золотое пялечко да иголочка. Ты только пялечко держи, а иголочка сама вышивать будет. Ну, теперь ступай с Богом и наймись к просвирне в работницы.

Сказано — сделано. Пришла красная девица на просвирнин двор и нанялась в работницы. Дело у ней так и кипит под руками: и печку топит, и воду носит, и обед готовит. Просвирня смотрит да радуется.

— Слава Богу,— говорит своей дочке.— Нажили себе работницу и услужливую, и добрую. Без наряду все делает!

А красная девица, покончив с хозяйскими работами, взяла серебряное донце, золотое веретенце и села прясть. Прядет — из кудели нитка тянется. Нитка не простая, а из чистого золота.

Увидала это просвирнина дочь и спрашивает:

— Ах, красная девица! Не продашь ли мне свою забаву?

— Пожалуй, продам.

— А какая цена?

— Позволь с твоим мужем ночь перебыть.

Просвирнина дочь согласилась.

«Не беда,— думает.— Ведь мужа можно сонным зельем опоить, а через это веретенце мы с матушкой озолотимся».

А Финиста ясна сокола дома не было. Целый день гулял по поднебесью, только к вечеру воротился.

Сели ужинать. Красная девица подает на стол кушанья да все на него смотрит, а он, добрый молодец, и не узнает ее.

The wanderer knocked at the door and said, «Kind hosts! Shelter me from the dark night.»

Again an old woman went out.

«You are welcome, little dove! Come in! Where are you going and where does your road lead?»

«I am looking for Finist the Bright Falcon.»

«Oh, it's really a hassle to find him! He lives now in a certain town and he married the wafer maker's daughter there.»

In the morning the old woman told the maiden, «This is a present for you — golden tambour and a needle. You just hold the tambour and the needle will be embroidering itself. Now go with God's help and let the wafer's maiden hire you as her maid.»

It was done as it was told. The lovely maiden came to the wafer maker's house and was hired as a maid. She was working much and quickly. Heating the stove, carrying water, and cooking meals. The wafer maker was happy watching her working.

«Thank God,» she told her daughter, «we hired a maid obliging and kind. Never needs to be told what to do!»

And the lovely maiden finished her work, took the silver spinning wheel and a golden spindle and began to weave. She was weaving and the thread, which was coming out, was of pure gold.

The wafer maker's daughter saw this and asked,

«Ah, lovely maiden! Will you sell this toy of yours to me?»

«Perhaps I will.»

«What's the price?»

«Let me spend one night with your husband.»

The wafer maker agreed.

«No problem,» she thought. «I will give my husband a sleeping potion, but we will become rich with the help of this spindle.»

But Finist the Falcon wasn't home then. He was flying in blue skies all day and returned home by night.

They sat down to supper. The lovely maiden served the table looking at him all the time, but he never recognized her.

Просвирнина дочь подмешала Финисту ясну соколу сонного зелья в питье, уложила его спать и говорит работнице:

— Ступай к нему в горницу да мух отгоняй.

Вот красная девица отгоняет мух, а сама слезно плачет:

— Проснись-пробудись, Финист ясный сокол! Я, красна девица, к тебе пришла. Три чугунных посоха изломала, три пары башмаков железных истоптала, три просвиры каменных изглодала да все тебя, милого, искала!

А Финист спит, ничего не чувствует. Ночь и прошла.

На другой день работница взяла серебряное блюдечко и катает по нему золотым яичком: много золотых яиц накатала! Увидала просвирнина дочь.

— Продай,— говорит она,— мне свою забаву!

— Пожалуй, купи.

— А какая цена?

— Позволь с твоим мужем еще одну ночь перебыть.

— Хорошо, я согласна.

А Финист ясный сокол опять целый день гулял по поднебесью, домой прилетел только к вечеру.

Сели ужинать. Красная девица подает кушанья да все на него смотрит, а он словно никогда и не знавал ее. Опять просвирнина дочь опоила его сонным зельем, уложила спать и послала работницу мух отгонять.

И на этот раз, как ни плакала, как ни будила его красная девица, он проспал до утра и ничего не слышал.

На третий день сидит красная девица, держит в руках золотое пялечко, а иголочка сама вышивает. Да такие узоры чудные! Загляделась просвирнина дочка, глаз оторвать не может.

— Продай, красная девица, мне свою забаву!

— Пожалуй, купи.

— А какая цена?

— Позволь с твоим мужем третью ночь перебыть.

The wafer maker's daughter mixed the potion with his drink, sent him to bed and said to the maid,

«Now go to his room and drive the flies off him.»

The lovely maiden was driving the flies off him and sobbing bitterly.

«Awake! Get up, Finist the Bright Falcon. I, the lovely maiden, have come to you. Three pairs of iron shoes I have worn out, three iron crooks I have broken, three stone wafers gnawed away while searching you!»

But Finist slept and felt nothing. The night was gone.

Next day the maiden took the silver dish and rolled the golden egg on it. Many golden eggs were rolled out. The wafer maker's daughter saw this.

«Sell this toy to me!» said the wafer maker's daughter.

«Good, buy it.»

«And what about the price?»

«Let me spend one more night with your husband.»

The wafer maker's daughter agreed again.

And Finist the Bright Falcon was again flying all day in the blue skies and returned home only by night.

They sat down for supper. The lovely maiden served the table and kept looking at him. But he looked as if he had never known her. Again the wafer maker's daughter gave him some potion with his drink and sent the maiden to drive flies off him.

And that time the lovely maiden was sobbing and driving the flies off him, but he heard nothing.

On the third day the lovely maiden took out the golden tambour and the needle was embroidering itself. And the traceries were so marvellous nobody had seen before. The wafer maker's daughter couldn't tear her eyes away.

«Lovely maiden! Sell this toy of yours to me!»

«I don't mind.»

«What's the price?»

«Let me spend the third night with your husband.»

— Хорошо, я согласна.

Вечером прилетел Финист ясный сокол. Жена опоила его сонным зельем, уложила спать и посылает работницу мух отгонять.

Вот красная девица мух отгоняет, а сама слезно причитает:

— Проснись-пробудись, Финист ясный сокол! Я, красна девица, к тебе пришла. Три чугунных посоха изломала, три пары железных башмаков истоптала, три каменных просвиры изглодала — все тебя, милого, искала.

А Финист ясный сокол крепко спит, ничего не чувствует.

Долго она плакала. Долго будила его. Вдруг упала ему на щеку слеза красной девицы, и он в ту же минуту проснулся:

— Ах,— говорит,— что-то меня обожгло!

— Финист ясный сокол! Я к тебе пришла. Три чугунных посоха изломала, три пары

The wafer maker's daughter agreed again.

By night Finist retutned home. His wife poured the potion to his drink again, sent him to bed and ordered the maid to drive flies away from him.

The lovely maiden was driving flies away from him and was waiting,

«Arise, Finist the Bright Falcon. I, the lovely maiden, have come to you. Three pairs of iron shoes I have worn out, three iron crooks I have broken, three wafers, made of stone, gnawed away while I've been looking for you, my beloved!»

But Finist the Bright Falcon kept on sleeping and felt nothing.

She was sobbing and trying to awake him for a long time. But suddenly a tear dropped on his cheek and he awoke instantly.

«Ah! Something burned me,» he said.

«Finist the Bright Falcon! I have come to you. I have broken three iron crooks, worn

железных башмаков истоптала, три каменных просвиры изглодала! Вот уж третью ночь над тобой стою, а ты спишь — не пробуждаешься, на мои слова не отзываешься!

Тут только узнал ее Финист ясный сокол и так обрадовался, что сказать нельзя.

Сговорились и ушли от просвирни из дому.

Поутру хватилась просвирнина дочь своего мужа: ни его нет, ни работницы. Стала жаловаться матери; просвирня приказала лошадей заложить и погналась в погоню.

Ездила, ездила, и к трем старухам заезжала, а Финиста ясна сокола не догнала. Его и следов не видать.

Очутился Финист ясный сокол со своею суженой возле ее дома родительского. Ударился о сыру землю и сделался перышком. Красная девица взяла его, спрятала за пазуху и пришла к отцу.

— Ах, дочь моя любимая! Я думал, что тебя и на свете нет. Где же была ты так долго?

— Богу ходила молиться.

А случилось это как раз около святой недели. Вот отец со старшими дочерьми собираются к заутрене.

— Что ж, дочка милая,— спрашивает он меньшую,— собирайся да поедем. Нынче день такой радостный.

— Батюшка, мне надеть на себя нечего.

— Надень наши уборы,— говорят старшие сестры.

— Ах, сестрицы, мне ваши платья не по кости! Я лучше дома останусь.

Отец с двумя дочерьми уехал к заутрене. А красная девица вынула свое перышко. Оно ударилось об пол и сделалось прекрасным царевичем.

Царевич свистнул в окошко — сейчас явились и платья, и уборы, и карета золотая. Нарядились, сели в карету и поехали.

Входят они в церковь, становятся впереди всех, а народ только смотрит да дивится: какой такой царевич с царевною пожаловал!

out three iron pairs shoes, gnawed away three wafers made of stone. This is the third night I have stood over you and you never wake up!»

Only then Finist the Bright Falcon recognized her and was so glad that could say nothing.

And they together left the wafer maker's house.

In the morning the wafer maker's daughter found that there was neither her husband nor the maid in the house. She started complaining to her mother and she ordered to get the horses ready and they rushed to pursue them.

They drove and drove, visited all the three old women, but didn't overtake Finist the Bright Falcon. Neither him nor his traces.

Finist and his beloved maiden reached her father's house. He struck himself against the damp earth and turned into a feather. The lovely maiden took him, hid in her bosom and went to her father.

«Ah, my beloved daughter! I thought already you weren't existing in this world. Where have you been that long?»

«I went to pray to God.»

And it happened right close to Holy Week. So the father and his elder daughters were about to go to matins.

«Well, my beloved daughter,» he said to his youngest, «get ready and let's go. It is a so fine day now.»

«Father! I have nothing to put on.»

«Put on our garments,» the elder sisters said to her.

«Ah, my sisters. Your dresses don't fit me. I'd better stay home.»

The father with the elder daughters went to the church. And the red maiden took her feather out. It struck against the floor and turned into a nice tsarevich.

The tsarevich whistled from the window and the remarkable dresses and a carriage appeared.

They entered the church and stood before everybody and people marvelled at them, what a beautiful couple had come, real tsarevich and tsarevna.

На исходе заутрени вышли они раньше всех и уехали домой. Карета пропала, платьев и уборов как не бывало, царевич обратился перышком.

Воротился и отец с дочерьми.

— Ах, сестрица, вот ты с нами не ездила, а в церкви был прекрасный царевич с ненаглядною царевною.

— Ничего, сестрицы. Вы мне рассказали — все равно, что сама была.

На другой день опять то же в церкви было. А на третий день, как стал царевич с красной девицей в карету садиться, отец вышел из церкви и своими глазами видел, что карета к его дому подъехала и пропала.

Воротился отец домой и стал меньшую дочку допрашивать. Она и говорит:

— Нечего теперь делать. Надо признаться!

Вынула перышко. Перышко ударилось об пол и обернулось царевичем. Тут их и обвенчали, и свадьба была богатая!

На той свадьбе и я был. Вино пил, по усам текло, да в рот не попало.

When the matins were coming to an end they went out before everybody and went home. Carriage and dresses disappeared as if they had not existed. The tsarevich turned into a feather.

The father and the daughters returned home.

«Oh, sister! You haven't come with us but we saw a handsome couple in the church, tsarevich and tsarevna.»

«Very well, sisters. You told me, so it is as if I had been there myself.»

Next day the same thing happened again. When the tsarevich and tsarevna left the church and sat down in the carriage, the father of the lovely maiden went out of the church and saw by his own eyes the carriage pull up to his house.

The father returned home and started questioning his youngest. She said,

«I have to tell you the truth. There is no choice.»

She took out the feather. The feather struck against the floor and turned into the tsarevich. Then they married and the feast was reach!

I have been to this wedding. The wine trickled down my mustache but didn't get into my mouth.

Maria Morevna

В некотором царстве, в некотором государстве жил-был Иван-царевич. У него были три сестры: одна Марья-царевна, другая Ольга-царевна, третья Анна-царевна. Отец и мать у них умерли.

Умирая родители сыну говорили-наказывали:

— Кто первый за твоих сестер станет свататься за того и отдавай. При себе не держи долго.

Царевич похоронил родителей и с горя пошел с сестрами во зеленый сад погулять. Вдруг находит на небо туча черная, встает гроза страшная.

— Пойдемте, сестрицы, домой! — говорит Иван-царевич.

Только пришли во дворец — как грянул гром. Раздвоился потолок, и влетел к ним в горницу ясен сокол. Ударился сокол об пол, сделался добрым молодцом и говорит:

— Здравствуй, Иван-царевич! Прежде я ходил гостем, а теперь пришел сватом. Хочу у тебя сестрицу Марью-царевну посватать.

— Коли люб ты сестрице, я не держу. Пусть с Богом идет.

Many years ago there lived Tsarevich Ivan in a certain tsardom. He had three sisters: Tsarevna Maria, Tsarevna Olga and the third, Tsarevna Anna. Their parents had died.

When they were dying, they instructed their son,

«The first bride of your sister must become her husband. Do not keep them for a long time with you.»

The Tsarevich buried his parents and went to the garden for a walk together with his sisters. All of a sudden a black cloud covered the sky, terrible storm broke out.

«Let's go home, sisters!» said Tsarevich Ivan.

As soon as they entered the palace a thunderstorm broke out. The ceiling was split in two parts and a bright falcon flew into the room. He struck himself against the floor, turned into a brave tsarevich and said,

«Hail, Tsarevich Ivan! Before I was coming here as a guest, but now I've come as a suitor. I want to marry your sister, Tsarevna Maria.»

«If she loves you, I'm not going to keep her. Let her go with God's grace.»

65

5 Русские народные сказки

Марья-царевна согласилась. Сокол женился и унес ее в свое царство.

Дни идут за днями, часы бегут за часами — целого года как не бывало.

Пошел Иван-царевич в другой раз с двумя сестрами во зеленый сад погулять. Опять встает туча черная с вихрем, с молнией.

— Пойдемте, сестрицы, домой! — говорит царевич.

Только пришли во дворец — как ударил гром. Распалася крыша, раздвоился потолок, и влетел орел. Ударился об пол и сделался добрым молодцем.

— Здравствуй, Иван-царевич! Прежде я гостем ходил, а теперь пришел сватом.

И посватал Ольгу-царевну у Ивана-царевича.

Отвечает Иван-царевич:

— Если люб ты Ольге-царевне, то пусть за тебя идет. Я не запрещаю.

Tsarevna Maria agreed and the falcon took her to his tsardom.

Days followed days, hours followed hours. A whole year passed as if it had not existed.

Tsarevich Ivan took two sisters and went for a walk into a green garden. A huge black cloud crossed the sky again and a thunderstorm broke out.

«Let's go home, sisters,» said the Tsarevich Ivan.

As soon as they came to the palace, the ceiling was split in two parts and an eagle flew into the room. He struck himself against the floor and turned into a brave tsarevich.

«Hail, Tsarevich Ivan! Before I had been visiting you as a guest. Now I came as a suitor.»

And he asked Tsarevich Ivan to let his sister Olga become his wife.

Ivan answered,

«If she loves you, I am not against this marriage. Let her become your wife.»

Ольга-царевна согласилась и вышла за орла замуж. Он подхватил ее и унес в свое царство.

Прошел еще один год.

Говорит Иван-царевич своей младшей сестрице:

— Пойдем, во зеленом саду погуляем!

Погуляли они в саду немножко. Вот опять встает туча черная с вихрем, с яркой молнией.

— Вернемся, сестрица, домой.

Вернулись домой, не успели сесть — как ударил гром. Раздвоился потолок и влетел ворон. Ударился ворон об пол и сделался добрым молодцем. Прежние молодцы были хороши собой, а этот еще лучше.

— Ну, Иван-царевич, прежде я гостем ходил, а теперь пришел сватом. Отдай за меня Анну-царевну.

— Я не запрещаю. Коли ты полюбился ей, пусть идет за тебя.

Вот остался Иван-царевич один. Целый год жил он без сестер, и сделалось ему скучно.

— Пойду,— говорит,— искать сестриц.

Собрался в дорогу и пошел. Шел, шел и видит — лежит в поле рать — сила побитая.

Спрашивает Иван-царевич:

— Коли есть тут жив человек — отзовися! Кто побил это войско великое?

Отозвался ему жив человек:

— Все это войско великое побила Марья Моревна, прекрасная королевна.

Пустился Иван-царевич дальше, наезжал в чистом поле на шатры белые. Выходила к нему Марья Моревна, прекрасная королевна:

— Здравствуй, царевич. Куда тебя Бог несет? По воле аль по неволе?

Отвечал ей Иван-царевич:

— Добрые молодцы никогда по неволе не ездят!

— Ну, коли дело не к спеху, погости у меня в шатрах.

Tsarevna Olga agreed and he married her. The eagle took her and brought to his tsardom.

Another year passed.

Once Tsarevich Ivan told his youngest sister,

«Let's go out for a walk into a green garden.»

They walked for a while. Again the black cloud with a whirlwind arose and lightning flashed.

«Let's return home, sister.»

They returned home and no sooner they had sat down, a thunder rolled. The ceiling was split in two parts and the black raven flew in. He struck himself against the floor and turned into a brave tsarevich. The first and the second tsareviches were nice, but that one was even nicer.

«Well, Tsarevich Ivan. Before I had been coming to see you as a guest, but now I came as a suitor. Let me marry Tsarevna Anna.»

«I do not forbid. If she loves you, let her become your wife.»

Tsarevich Ivan remained alone. A whole year he lived without his sisters, and he became bored.

«I will go and look for my sisters,» he decided.

He got ready for the journey and hit the road. He walked and walked and saw a host of soldiers lying all dead in the field.

Tsarevich Ivan asked,

«If anybody is alive, let him respond me! Who ruined this great army?»

An alive man answered him,

«All this great army was killed by Maria Morevna, the beautiful queen.»

Ivan Tsarevich went ahead and came to white tents in the wide field. Maria Morevna, the beautiful queen, went out and met him.

«Hey, Tsarevich Ivan! Where God is taking you? You are travelling by your will or against it?»

Tsarevich Ivan answered her,

«Brave tsareviches never travel against their will!»

«Well, if you do not hurry, have a rest at my tents.»

Иван-царевич тому и рад. Две ночи в шатрах ночевал. Полюбился Марье Моревне и женился на ней.

Марья Моревна, прекрасная королевна, взяла Ивана-царевича с собой в свое государство. Пожили они вместе сколько-то времени, и вздумалось королевне на войну собираться. Оставляет она на Ивана-царевича все хозяйство и приказывает:

— Везде ходи, за всем присматривай, только в этот чулан не заглядывай.

Он не вытерпел. Как только Марья Моревна уехала, тотчас бросился в чулан, отворил дверь, глянул. А там висит Кощей Бессмертный, на двенадцати цепях прикован.

Просит Кощей у Ивана-царевича:

— Сжалься надо мной. Дай мне напиться! Десять лет я здесь мучаюсь, не ел, не пил. Совсем в горле пересохло!

Царевич подал ему целое ведро воды. Он выпил и еще запросил:

— Мне одним ведром не залить жажды. Дай еще!

Царевич подал другое ведро. Кощей выпил и запросил третье. А как выпил третье ведро — взял свою прежнюю силу, тряхнул цепями и сразу все двенадцать порвал.

— Спасибо, Иван-царевич! — сказал Кощей Бессмертный.— Теперь тебе никогда не видать Марьи Моревны, как ушей своих!

И страшным вихрем вылетел в окно, нагнал на дороге Марью Моревну, прекрасную королевну, подхватил ее и унес к себе.

А Иван-царевич горько-горько заплакал, снарядился и пошел в путь-дорогу:

— Что ни будет, а разыщу Марью Моревну!

Идет день, идет другой, на рассвете третьего видит чудесный дворец. У дворца дуб стоит, на дубу ясный сокол сидит.

Слетел сокол с дуба, ударился о землю, обернулся добрым молодцем и закричал:

— Ах, шурин мой любезный! Как тебя Господь милует?

Tsarevich Ivan accepted the invitation gladly. He spent two nights at the tents. He fell in love with Maria Morevna and married her.

Maria Morevna, the beautiful queen, took Tsarevich Ivan to her tsardom. They lived together for a while and then the queen decided to start war. She left all the household in Tsarevich Ivan's charge and ordered him,

«Go everywhere, keep an eye on everything, but never look into this lumber-room.»

But Tsarevich Ivan couldn't restrain. As soon as queen left, he rushed immediately to the lumber-room, opened the door and glanced inside. And there Koshchey the Deathless was hanging chained with twelve chains.

He begged of Tsarevich Ivan,

«Have a pity over me. Let me drink. Ten years I have been suffering here neither ate or drank. My throat is totally overdried.»

Tsarevich gave him a whole bucket of water. He drank it and asked for more.

«One bucket is not enough to quench my thirst. Give me more!»

Tsarevich Ivan gave him another bucket of water. Koshchey drank it and asked for a third one. After he had drunk three buckets of water he regained his former strength. He shook the chains and broke all twelve at once.

«Thank you, Tsarevich Ivan!» said Koshchey the Deathless. «From now you will never see Maria Morevna like you will never see your ears!»

And as a terrible whirlwind he flew out of the room. He overtook Maria Morevna, the beautiful queen, seized her and brought her away.

Tsarevich Ivan wept for a while, got ready for a journey and hit the road.

«Whatever may happen, I must find Maria Morevna!»

He walked one day, another, and at the third day's dawn he saw a marvellous palace. There was an oak near it, and a bright falcon sat on it.

The falcon swooped down, struck himself against the earth and turned into a brave tsarevich and cried,

«Heil, my dear brother-in-law! Is God on your side?»

И. БИЛИБИНЪ 1900.

Выбежала Марья-царевна. Встретила Ивана-царевича радостно, стала про его здоровье расспрашивать, про свое житье-бытье рассказывать.

Погостил у них царевич три дня и говорит:

— Не могу у вас гостить долго. Я иду искать жену мою, Марью Моревну, прекрасную королевну.

— Трудно тебе сыскать ее,— отвечает сокол.— Оставь здесь на всякий случай свою серебряную ложку. Будем на нее смотреть, про тебя вспоминать.

Иван-царевич оставил у сокола свою серебряную ложку и пошел в дорогу. Шел он день, шел другой, на рассвете третьего дня видит дворец еще лучше первого. Возле дворца дуб стоит, на дубу орел сидит.

Слетел орел с дерева, ударился о землю, обернулся добрым молодцем и закричал:

— Вставай Ольга-царевна! Милый наш братец идет!

Ольга-царевна тотчас прибежала навстречу, стала его целовать-обнимать, про здоровье расспрашивать, про свое житье-бытье рассказывать.

Иван-царевич погостил у них три денька и говорит:

— Дольше гостить мне некогда. Я иду искать жену мою, Марью Моревну, прекрасную королевну.

Отвечает орел:

— Трудно тебе сыскать ее. Оставь у нас серебряную вилку. Будем на нее смотреть, тебя вспоминать.

Он оставил серебряную вилку и пошел в дорогу. День шел, другой шел, на рассвете третьего видит дворец лучше первых двух. Возле дворца дуб стоит, на дубу ворон сидит.

Слетел ворон с дуба, ударился о землю, обернулся добрым молодцем и закричал:

— Анна-царевна! Поскорей выходи. Наш братец идет!

Выбежала Анна-царевна, встретила Ивана-царевича радостно, стала целовать об-

Tsarevna Maria ran out. She met her brother with joy, and began to ask him about his health and told him about her own life.

Tsarevich Ivan stayed three days with them and said,

«I can't stay with you for a long wile. I have to search for my wife, Maria Morevna, the beautiful queen.»

«It will be difficult to find her,» the falcon said. «Leave your silver spoon here just in case. We'll looking at it and remembering you.»

Tsarevich Ivan left his spoon with the falcon and hit the road. He walked and walked. At the sixth day's down he saw a palace which was ever nicer than the first one. There stood an oak near the palace and on the oak sat an eagle.

The eagle flew dawn from the oak, struck himself against the ground and turned into a brave tsarevich and shouted,

«Arise, Tsarevna Olga! Our beloved brother is coming!»

Olga Tsarevna ran to them immediately. She began to kiss and embrace her brother, asked him about his health and told him about her life.

Tsarevich Ivan spent three nights with them and said,

«I can not stay with you any more. I am looking for my wife, Maria Morevna, the beautiful queen.»

The eagle told him,

«It will be too hard to find her. Leave your silver fork hear. We will be looking at it and remembering you.»

He left his silver fork and went on. He walked one day, another. When the third day broke out he saw a palace even more remarkable than the first two. There was an oak near the palace, and a raven sat on it.

The raven flew down, struck himself against the floor and turned into a brave tsarevich and cried,

«Tsarevna Anna! Come out quickly. Our brother is coming!»

Tsarevna Anna ran out, met her brother with joy. She began to kiss him and embrace,

нимать, про здоровье расспрашивать, про свое житье-бытье рассказывать.

Иван-царевич погостил у них три денька и говорит:

— Прощайте! Пойду жену искать — Марью Моревну, прекрасную королевну.

Отвечает ворон:

— Трудно тебе сыскать ее. Оставь-ка у нас серебряную табакерку. Будем на нее смотреть, тебя вспоминать.

Царевич отдал ее, попрощался и пошел в дорогу. День шел, другой шел, а на третий добрался до Марьи Моревны.

Увидала она милого, бросилась к нему на шею, залилась слезами и промолвила:

— Ах, Иван-царевич! Зачем ты меня не послушался, посмотрел в чулан и выпустил Кощея Бессмертного?

— Прости, Марья Моревна! Не поминай старого. Лучше поедем со мной, пока не видать Кощея Бессмертного; авось не догонит.

Собрались и уехали.

А Кощей на охоте был. К вечеру он домой возвращается, под ним добрый конь спотыкается.

— Что ты, несытая кляча, спотыкаешься? Али чуешь какую невзгоду?

Отвечает конь:

— Иван-царевич приходил, Марью Моревну увез.

— А можно ли их догнать?

— Можно пшеницы насеять, дождаться, пока она вырастет, сжать ее, смолотить, в муку обратить, пять печей хлеба наготовить, хлеб тот поесть, да тогда вдогонку ехать — и то поспеем!

Кощей поскакал, догнал Ивана-царевича.

— Ну,— говорит,— первый раз тебя прощаю за твою доброту, что водой меня напоил. И в другой раз прощу. А в третий берегись — на куски изрублю!

Отнял у него Марью Моревну и увез. Иван-царевич сел на камень и горько заплакал.

asked him about his health and told him about her life.

Tsarevich Ivan spent three nights with them and said,

«Farewell! I must go to look for my wife, Maria Morevna, the beautiful queen.»

The raven said to him,

«It will be hard to find her. Leave your silver snuff-box with us. We will be looking at it and remembering you.»

Tsarevich Ivan gave his silver snuff-box to them, said farewell and left. On the third day he reached Maria Morevna.

She saw her beloved, rushed to him, then burst into tears and said,

«Ah, Tsarevich Ivan! Why did you unlock the lumber-room and let Koshchey the Deathless out?»

«Forgive me, Maria Morevna! Do not recall the past. Let's, instead, go with me while Koshchey the Deathless is away. Perhaps he won't overtake us.»

They got ready and left.

Koshchey hunted at that time. On his way home at night his horse stumbled under him.

«What's wrong with you, hungry jade? Do you feel a trouble?»

The horse answered,

«Tsarevich Ivan came here and took off Maria Morevna.»

«Can we overtake them?»

«We should sow wheat, wait till it grows, reap it and thresh, grind it into flour, bake five breads and set out after eating all it. Even then we will overtake Tsarevich Ivan and Maria Morevna!»

Koshchey started off and caught up with Tsarevich Ivan.

«Well, I will forgive you for the first time. You were kind to me and let me drink water. The second time I will forgive you too. But next time you won't be forgiven.

He took Maria Morevna from the Tsarevich Ivan and took her off. Tsarevich Ivan sat down on a stone and burst into bitter tears.

Поплакал-поплакал и опять воротился назад за Марьей Моревной. Кощея Бессмертного дома не было.

— Поедем Марья Моревна!

— Ах, Иван-царевич! Он нас опять догонит.

— Пускай догонит. Мы хоть часок-другой проведем вместе.

Собрались и уехали. Кощей Бессмертный домой возвращается, под ним добрый конь спотыкается.

— Что ты, несытая кляча, спотыкаешься? Али чуешь какую невзгоду?

— Иван-царевич приходил, Марью Моревну с собой взял.

— А можно ли догнать их?

— Можно ячменю насеять, подождать, пока он вырастет, сжать-смолотить, пива наварить, допьяна напиться, до отвала выспаться да тогда вдогонку поехать — и то поспеем!

He wept and wept and returned for Maria Morevna. Koshchey the Deathless was away again.

«Let's go Maria Morevna!» he said.

«Ah, Tsarevich Ivan, he will overtake us again!»

«Let him catch us. At least we will spend one hour together.»

They got ready and took off. As soon as Koshchey returned, his horse stumbled under him again.

«Why are you stumbling, hungry jade? Do you feel something is wrong? »

«Tsarevich Ivan came here and be stole Maria Morevna.»

«Can we get them?»

«We must sow some barley, wait untill it grows, brew beer, get slushed, have a good sleep and after all go and catch them!»

Кощей поскакал, догнал Ивана-царевича:

— Ведь я же говорил, что тебе не видать Марьи Моревны, как ушей своих!

Отнял ее и увез к себе. Остался Иван-царевич один. Поплакал-поплакал и опять воротился за Марьей Моревной. На ту пору Кощея дома не было.

— Поедем, Марья Моревна!

— Ах, Иван-царевич! Ведь догонит, тебя в куски изрубит.

— Пускай изрубит! Я без тебя жить не могу.

Собрались и поехали. Кощей Бессмертный домой возвращается, под ним добрый конь спотыкается.

— Что ты спотыкаешься? Али чуешь какую невзгоду?

— Иван-царевич приходил, Марью Моревну с собой взял.

Кощей поскакал, догнал Ивана-царевича, изрубил его в мелкие куски и положил в смоленую бочку. Взял эту бочку, скрепил железными обручами и бросил в синее море, а Марью Моревну к себе увез.

В то самое время у зятьев Ивана-царевича серебро почернело-затуманилось.

— Ах,— говорят они,— видно, беда приключилась!

Орел бросился в сине море, схватил и вытащил бочку на берег. Тут же сокол полетел за живой водою, а ворон — за мертвою.

Слетелись все трое в одно место, разбили бочку, вынули куски Ивана-царевича, перемыли и сложили, как надобно. Ворон брызнул на него мертвой водой — сразу тело срослось.

Сокол брызнул живой водою. Иван-царевич вздрогнул, встал и говорит:

— Ах, как я долго спал!

— Еще бы дольше проспал, если б не мы! — отвечали зятья.— Пойдем теперь к нам в гости.

— Нет, братцы! Я пойду искать Марью Моревну.

Koshchey rushed to pursue them and caught up with them.

«Haven't I told you that you'll never see Maria Morevna like you'll never see your own ears!»

He took her off and brought back to his palace. Tsarevich Ivan remained alone. He wept and wept and returned to get Maria Morevna again. Koshchey was out then.

«Let us go quickly, Maria Morevna!»

«Ah, Tsarevich Ivan! He will reach us and chop you into pieces.»

«Let him chop me! I shall not live without you.»

They got ready and took off. As Koshchey the Deathless was coming closer to his house, his good horse stumbled under him.

«Why did you stumble? Do you fell any trouble?»

«Tsarevich Ivan was here and took Maria Morevna with him.»

Koshchey rode off, overtook Tsarevich Ivan and chopped him into little pieces and put them into a tarred cask. He strengthened it with iron hoops and threw it away into the blue ocean and carried off Maria Morevna.

At exactly that moment Tsarevich Ivan's silver, which he had left at the palace of his brothers-in-law, blackened.

«Ah,» they said, «some trouble must have happened to our brother!»

The eagle rushed to the blue ocean, caught the cask and dragged it ashore. The falcon flew for the water of life and the raven for the water of death.

All birds got together at the same place, broke the cask, took out the chopped pieces of Tsarevich, washed them and stuck to each other. The raven sprinkled them by the dead water, and the pieces grew to each other and rejoined.

The falcon sprinkled him with the water of life, Tsarevich Ivan got up and said,

«Oh, how long I slept!»

«You would have slept even longer if it hadn't been for us,» his brothers-in-law answered. «Let's go visit us now.»

«No, my brothers. I must go and look for Maria Morevna.»

Приходит к ней и просит:

— Разузнай у Кощея Бессмертного, где он достал такого доброго коня.

Вот Марья Моревна улучила добрую минуту и стала Кощея выспрашивать.

Кощей сказал:

— За тридевять земель, в тридесятом царстве, за огненной рекой живет баба-яга. У неё есть такая кобылица, на которой она каждый день вокруг света облетает. Много у ней и других славных кобылиц. Я у ней три дня пастухом был, ни одной кобылицы не упустил. За то баба-яга дала мне одного жеребёночка.

— Как же ты через огненную реку переправился?

— А у меня есть такой платок — как махну в правую сторону три раза, сделается высокий-высокий мост, и огонь его не достанет!

Марья Моревна выслушала Кощея, пересказала все Ивану-царевичу и платок тот чудесный потихоньку унесла да ему отдала.

Иван-царевич переправился через огненную реку и пошел к бабе-яге. Долго шел он без питья, без еды. Попалась ему навстречу заморская птица с малыми детками.

Иван-царевич говорит:

— Съем-ка я одного цыпленочка.

— Не ешь, Иван-царевич,— просит заморская птица.— Однажды я тебе пригожусь.

Пошел он дальше; видит в лесу улей пчел.

— Возьму-ка я,— говорит,— медку.

Пчелиная матка отзывается:

— Не тронь моего меду, Иван-царевич! Однажды я тебе пригожусь.

Он не тронул и пошел дальше. Попадается ему навстречу львица со львенком.

— Съем я хоть этого львенка. Есть так хочется, аж тошно стало!

— Не тронь, Иван-царевич,— просит львица.— Однажды я тебе пригожусь.

— Хорошо, пусть будет по-твоему!

Побрел голодный. Шел, шел — стоит дом бабы-яги. Кругом дома двенадцать шестов, на одиннадцати шестах по человечьей голове. Только один не занятый.

He came to her and asked,

«Find out from Koshchey the Deathless where he had fetched so good and speedy horse.»

So, at the right moment Maria Morevna started asking Koshchey.

Koshchey told her,

«Very far from here, at the thirtieth tsardom, beyond a flame river Baba Yaga lives. She has such a steed on which she flies the world over every day. She has many other such steeds. Three days I have served as her herdsman and no one steed was escaped. So as a reward one colt was presented to me.»

«So how did you manage to cross the flame river over?»

«I have such a kerchief that when I wave it to the right side three times, the highest bridge stands up and the flames can't reach it!»

Maria Morevna listened to what he said and repeated everything to Tsarevich Ivan. She managed to steal the kerchief from Koshchey and gave it to her beloved.

Tsarevich Ivan crossed the flame river and went to where Baba Yaga lived. He was walking for a long time without eating or drinking. He happened to meet some strange bird from foreign land with her young.

Tsarevich Ivan said,

«I will eat one of your kids.»

«Don't eat him, Tsarevich Ivan,» the bird begged. «Some day I will become useful to you.»

He kept on walking and stumbled upon a beehive in the forest.

«Oh, I will eat some honey,» he said.

The queen bee answered him,

«Do not take my honey, Tsarevich Ivan. Some day I shall be very useful to you.»

Tsarevich Ivan didn't take any and went on. Soon he met a lioness with a little whelp.

«I will eat this little lion's whelp at least. So hungry I am!»

«Tsarevich Ivan, do not take him,» the lioness begged. «Some day I shall be useful to you.»

«All right, let it be so!»

And he kept on plodding, still hungry. He walked and walked untill he reached the hut of Baba Yaga. Eleven stakes with eleven human heads on each surrounded the hut.

— Здравствуй, бабушка!

— Здравствуй, Иван-царевич! Зачем пришел — по своей доброй воле аль по нужде?

— Пришел заслужить у тебя богатырского коня.

— Изволь, царевич! У меня ведь не год служить, а всего-то три дня. Если упасешь моих кобылиц — дам тебе богатырского коня. Если нет, то не гневайся — торчать твоей голове на последнем шесте.

Иван-царевич согласился. Баба-яга его накормила-напоила и велела за дело приниматься.

Только что выгнал он кобылиц в поле, кобылицы задрали хвосты и все врозь по лугам разбежались. Не успел царевич глазами вскинуть, как они совсем пропали. Тут он заплакал-запечалился, сел на камень и заснул. Солнышко уже на закате, прилетела заморская птица и будит его:

«Hello, grandmother!»

«Hail, Tsarevich Ivan. Did you come by your own free will or some need brought you here?»

«I came to deserve a mighty steed, grandmother.»

«Try, tsarevich! You shall not serve a year here, but only three days. If no one of my mares escapes from you, you'll get one. If you fail to keep them, don't hold it against me, but your head will hang on the last stake.»

Tsarevich Ivan agreed. Baba Yaga fed him and let him drink and ordered to get down to work.

As soon as Tsarevich Ivan pulled the mares to the field, they raised their tails and scattered in all directions. Tsarevich didn't even raise his eyes, when they got out of sight. He wept, grieved, set on the stone and fell asleep. It was day already when the foreign bird flew to him and woke him.

— Вставай, Иван-царевич! Кобылицы теперь дома.

Царевич встал, воротился домой. А баба-яга и шумит, и кричит на своих кобылиц:

— Зачем вы домой воротились?

— Как же нам было не воротиться? Налетели птицы со всего света, чуть нам глаза не выклевали.

— Ну, вы завтра по лугам не бегайте, а рассыпьтесь по дремучим лесам.

Переспал ночь Иван-царевич. Наутро баба-яга ему говорит:

— Смотри, царевич, если не упасешь кобылиц, если хоть одну потеряешь — быть твоей буйной головушке на шесте!

Погнал он кобылиц в поле. Они тотчас задрали хвосты и разбежались по дремучим лесам. Опять сел царевич на камень, плакал, плакал и уснул. Солнышко село за лес. Прибежала львица:

— Вставай, Иван-царевич! Кобылицы все собраны.

Иван-царевич встал и пошел домой. Баба-яга пуще прежнего и шумит, и кричит на своих кобылиц:

— Зачем домой воротились?

— Как же нам не воротиться? Набежали лютые звери со всего света, чуть нас совсем не разорвали.

— Ну, вы завтра забегите в сине море.

Опять переспал ночь Иван-царевич. Наутро посылает его баба-яга кобылиц пасти:

— Если не упасешь — быть твоей буйной головушке на шесте.

Он погнал кобылиц в поле. Они тотчас задрали хвосты, скрылись с глаз и забежали в сине море. Стоят в воде по шею. Иван-царевич сел на камень, заплакал и уснул. Солнышко за лес село, прилетела пчелка:

— Вставай, царевич! Кобылицы все собраны. Как воротишься домой, бабе-яге на глаза не показывайся. Пойди в конюшню и спрячься за яслями. Там есть паршивый жеребенок — в навозе валяется. Укради его и в глухую полночь уходи из дому.

«Get up, Tsarevich Ivan! The mares are back now.»

The tsarevich got up and returned home. Baba Yaga was yeilding that time at her mares.

«Why did you return?»

«How could we stay in the meadow? Birds from all over the world swarmed up and almost pecked out our eyes.»

«All right, tomorrow instead of running in the fields, you'd better scatter in thick woods.»

The tsarevich slept that night, and in the morning Baba Yaga told him,

«Look, tsarevich! If only one of them escapes your rash head will be on the stake!»

He pushed the mares out in the field. At once they raised their tails and rushed to thick woods. Again tsarevich sat on a stone, wept and fell asleep. The sun set behind the forest. The lioness run to him.

«Get up, tsarevich! The mares have been gathered already.»

Tsarevich Ivan got up and went home. When he returned, Baba Yaga was shouting at the mares even more severely.

«Why have you returned home?»

«But what could we do? Wild beasts from all over world gathered together and almost tore us in small pieces.»

«Tomorrow you run into the blue ocean.»

Tsarevich Ivan slept that night. In the morning he was sent to herd mares again.

«If you loose even one of them, your rush head shall be on the stake.»

He drove the mares into the fields. At once they raised their tails and vanished from sight. They stood in the water up to their necks. The tsarevich set on the stone, cried bitterly and fell asleep. A bee flew to him when the sun set behind the forest.

«Get up, tsarevich! All the mares returned home already. But when you are back home, never show up before Baba Yaga. Go to the stables, hide behind the manger. There you will find a scabby colt lying on a dung heap. Steal him at midnight and escape from the house.»

Иван-царевич встал, пробрался в конюшню и улегся за яслями. Баба-яга и шумит, и кричит на своих кобылиц:

— Зачем воротились?

— Как же нам было не воротиться? Налетело пчел видимо-невидимо со всего света и давай нас со всех сторон жалить до крови!

Баба-яга заснула. В самую полночь Иван-царевич украл у нее паршивого жеребенка, оседлал его, сел и поскакал к огненной реке. Доехал до той реки, махнул три раза платком в правую сторону. Вдруг, откуда ни возьмись, повис через реку высокий, славный мост.

Царевич переехал по мосту и махнул платком в левую сторону только два раза. Остался через реку мост тоненький-тоненький.

Поутру пробудилась баба-яга. Паршивого жеребенка видом не видать. Бросилась в погоню; во весь дух на железной ступе скачет, пестом погоняет, помелом след заметает.

Прискакала к огненной реке, взглянула и думает: «Хорош мост».

Поехала по мосту, только добралась до середины — мост обломился. Баба-яга чубурах в реку; тут ей лютая смерть приключилась!

Иван-царевич откормил жеребенка в зеленых лугах. Стал из него чудный конь.

Приезжает царевич к Марье Моревне. Она выбежала, бросилась к нему на шею:

— Как тебя Бог воскресил?

— Так и так,— говорит.— Поедем скорее со мной.

— Боюсь, Иван-царевич! Если Кощей нас догонит, быть тебе опять в куски изрубленному.

— Нет, не догонит! Теперь у меня славный богатырский конь, словно птица летит.

Сели они на коня и поехали.

Кощей Бессмертный домой возвращается, под ним конь спотыкается.

— Что ты, несытая кляча, спотыкаешься? Али чуешь какую невзгоду?

— Иван-царевич приезжал, Марью Моревну увез.

Tsarevich Ivan got up, led his way to stables and hid behind the manger. Baba Yaga scolded and shouted,

«Why have you returned again?»

«We couldn't help coming back. An innumerable number of bees flew together from all over world and began to stung us till blood!»

Baba Yaga fell asleep. Right in the middle of the night Tsarevich Ivan stole a scabby colt, saddled him and galloped to the flame river of fire. When he came to the shore, he waved his handkerchief thrice. All of a sudden, as if from nowhere, a high bridge hung over the river.

Tsarevich crossed the river and waved his handkerchief to the left side only twice. Very thin bridge over the river remained.

Next morning Baba Yaga arose. The scabby colt was nowhere in sight. She rushed to pursue them. She flew on her iron mortar as fast as she could, prodded it with an iron pestle and swept her traces away with a broom.

She flew up to the flame river, glanced at the birdge and thought, «Good bridge it is!»

She rode onto the bridge, but as soon as she reached the middle, the bridge broke down. Baba Yaga fell into the flame river and really had a cruel death!

Tsarevich Ivan fed his colt in the green meadows. It became a splendid steed.

The tsarevich came to Maria Morevna. She ran out, rushed to him and embraced him.

«How did Lord bring you back to life?»

«This way and that,» he said. «Come on! Let's go with me!»

«I am afraid, Tsarevich Ivan! If Koshchey overtakes us, you will be chopped into little pieces again.»

«No, this time he won't catch us! I now have a splendid steed which is as fast as a bird.»

They mounted the steed and galloped off.

As Koshchey was coming closer to his palace, his steed stumbled under him.

«Why are you stumbling, hungry jade? Are you scenting Ivan smell again?»

«He was here and carried off Maria Morevna.»

— Можно ли их догнать?

— Бог знает! Теперь у Ивана-царевича конь богатырский лучше меня.

— Нет, не утерплю,— говорит Кощей Бессмертный,— поеду в погоню.

Долго ли, коротко ли — нагнал он Ивана-Царевича, соскочил на землю и хотел было сечь его острой саблей. В те поры конь Ивана-Царевича ударил со всего размаху копытом Кощея Бессмертного и размозжил ему голову. Царевич доконал его палицей.

После того наклал царевич груду дров, развел огонь, спалил Кощея Бессмертного на костре и самый пепел его пустил по ветру.

Марья Моревна села на Кощеева коня, а Иван-царевич на своего. Поехали они в гости сперва к ворону, потом к орлу, а там и к соколу. Куда ни приедут, всюду встречают их с радостью:

— Ах, Иван-царевич, а уж мы не чаяли тебя видеть. Ну да недаром же ты хлопотал. Такой красавицы, как Марья Моревна, во всем свете поискать — другой не найти!

Погостили они, попировали и поехали в свое царство. Приехали и стали себе жить-поживать, добра наживать.

«Can we overtake them?»

«God knows! Tsarevich Ivan has now a mighty steed which is better than me.»

«No! Anyway I'll get them both!» said Koshchey the Deathless.

After a long time or a short time, he caught up with Tsarevich Ivan, jumped off his horse's back and tried to hack him with his sharp saber. At that moment Tsarevich Ivan's steed kicked Koshchey the Deathless with it's hoof and smashed up his head. The tsarevich finished him with his iron mace.

After that he set a pile of woods, made a fire, burned Koshchey and let his ashes to the wind.

Maria Morevna sat on Koshchey's horse and Tsarevich Ivan on his one. First they visited the raven, then the eagle and, finally, the falcon. Wherever they came, they were met joyfully.

«Ah, Tsarevich Ivan! We didn't even hope to see you again. But you didn't waste time, indeed. Such a beauty as Maria Morevna has no peer in the world.

They stayed there for some time, had a great feast and rode off to their own tsardom. Having arrived, they lived long and prospered.

Tale of the White Duck

Один князь женился на прекрасной княжне. Не успел еще на нее наглядеться, не успел с нею наговориться, не успел ее наслушаться, а уж надо было им расставаться, надо было ему ехать в дальний путь, покидать жену на чужих руках.

Что делать? Говорят, век обнявшись не просидеть.

Много плакала княгиня, много князь ее уговаривал, он наказывал не покидать высокие терема, не ходить на беседу, с дур-

Once a certain knight married a beautiful princess. He hadn't managed to enjoy, to talk and to listen to her sweet speeches enough, when he had to leave for a long journey. Ht left his wife on the strangers' hands.

What could they do? It's said that one can't leave forever in embraces.

The princess wept much, many words were told her by the knight. He ordered her to never leave the high chambers, not to deal with evil

ными людьми не водиться, худых речей не слушаться. Княгиня обещала все исполнить. Князь уехал. Она заперлась в своем покое и не выходит.

Долго ли, коротко ли, пришла к ней женщина, казалось — такая простая, сердечная!

— Что ты скучаешь? Хоть бы на Божий свет поглядела, хоть бы по саду прошлась, тоску размыкала, голову освежила.

Долго княгиня отговаривалась, не хотела, наконец, подумала: «По саду походить не беда»,— и пошла.

В саду разливалась ключевая хрустальная вода.

— Что,— говорит женщина,— день такой жаркий, солнце палит, а водица студеная — так и плещет, не искупаться ли нам здесь?

— Нет, нет, не хочу! — А там подумала: «Ведь искупаться не беда.»

Скинула сарафанчик и прыгнула в воду. Только окунулась, женщина ударила ее по спине:

— Плыви ты,— говорит,— белою уточкой!

И поплыла княгиня белою уточкой.

Ведьма тотчас нарядилась в ее платье, убралась, намалевалась и села ожидать князя.

Только щенок вякнул, колокольчик звякнул, она уж бежит навстречу, бросилась к князю, целует, милует. Он обрадовался, сам руки навстречу протянул и не распознал ее.

А белая уточка тем временем нанесла яичек, вывела деточек, двух хороших, а третьего заморышка, и деточки ее вышли — ребяточки.

Она их вырастила, стали они по реченьке ходить, злату рыбку ловить, лоскутики собирать, кафтаники сшивать, да выскакивать на бережок, да поглядывать на лужок.

— Ох, не ходите туда, дети,— говорила мать.

Дети не слушали; нынче поиграют на травке, завтра побегают по муравке, дальше, дальше, и забрались на княжий двор.

people and not to listen to their evil speeches. The princess promised him to obey and he was gone. She locked up herself in her chamber and wouldn't leave.

After a long or a short time, a woman came to see her. So simple and kind she seemed to be!

«Why are you getting bored? Go out to have a look at God's world. At least walk in the garden, dissolve your grief, clear up you head.»

The princess was refusing for a long time, but finally she thought, «This is no trouble in walking in the garden!» And she went to take a walk.

The crystalline water was sprinkling in the garden.

«The day is so bright and hot,» the woman said. «The sun is shining, and the water is cool. Won't we bathe here?»

«No, no! I don't want it.» But then she thought, «There is no trouble in having a bath.»

She took off her frog and jumped in the water. As soon as she plunged in the woman hit her on the back.

«You swim now as a white duck,» she said.

And the princess turned into a white duck.

The witch at once put on her frog, painted herself and sat down to wait for the knight.

No longer than the puppy had barked and the bell had rung, she rushed to meet the knight. Kissed him and fondled. The knight was overjoyed, stretched his hands towards her and didn't feel the change.

At that time the white duck laid eggs and hatched the ducklings. Two of them were healthy and the third one was a weakling. And they grew into good children later.

She raised them and they began to swim in the river, catch little fish, sew little robes, jump onto the banks and glance at the meadow.

«Oh, don't go up there, kids,» she told them.

But they didn't listen to her. One day they would play on the grass, an other day they would romp in the meadow, and every day they went farther till they reached the prince's courtyard.

И. БИЛИБИНЪ. 1902.

Ведьма чутьем их узнала, зубами заскрипела. Вот она позвала деточек, накормила-напоила и спать уложила, а там велела разложить огня, навесить котлы, наточить ножи.

Легли два братца и заснули, а заморышка, чтоб не застудить, приказала им мать в пазушке носить — заморышек-то и не спит, все слышит, все видит.

Ночью пришла ведьма под дверь и спрашивает:

— Спите вы, детки, или нет?

Заморышек отвечает:

— Мы спим-не спим, думу думаем, что хотят нас всех зарезать; огни кладут калиновые, котлы высят кипучие, ножи точат булатные.

— Не спят!

Ведьма ушла, походила-походила, опять под дверь:

— Спите, детки, или нет?

Заморышек опять говорит то же:

— Мы спим-не спим, думу думаем, что хотят нас всех зарезать; огни кладут калиновые, котлы высят кипучие, ножи точат булатные.

«Что же это все один голос?» — подумала ведьма, отворила потихоньку дверь, видит: оба брата спят крепким сном, тотчас обвела их мертвой рукой — и они померли.

Поутру белая уточка зовет родных деток; детки не идут. Заболело ее сердце, встрепенулась она и полетела на княжеский двор.

На княжеском дворе, белы, как платочки, холодны, как пласточки, лежали братцы рядышком.

Кинулась она к ним, бросилась, крылышки распустила, деточек обхватила и материнским голосом завопила:

Кря, кря, мои деточки,
Кря, кря, голубяточки!
Я нуждой вас выхаживала,
Я слезой вас выпаивала,
Темную ночь недосыпала,
Сладкий кусок недоедала.

The witch felt their scent and recognized them, grinned her teeth. She let them drink and eat and sent to beds. Then she ordered to sharpen the knives, to hit the boilers, to set the fire.

Two brothers felt asleep, but the weakling was ordered them by their mother to be carried in their chests because he could catch a cold. And he didn't fall asleep and heard everything.

At night the witch came to their door and asked,

«Are you sleeping, little children, or not?»

The weakling answered,

«We are sleeping and not sleeping. We think that somebody wants to slaughter us. They are putting hazel logs into fire, heating the boilers, sharpening the steel knives.»

«They are not sleeping!»

The witch jeft, walked a bit and returned to their door.

«Are you sleeping, little children, or not?»

The weakling answered again,

«We are sleeping and not sleeping. We are thinking that somebody wants to slaughter us. They are putting hazel logs in the fire, heating the boilers, sharpening the steel knives.»

«Why it is the same voice all the time?» the witch thought and opened the door. Both brothers were sleeping. She touched them with her dead hand and they died.

Next morning the white duck called her children, but heard no response. She felt pain in her heart, she waved her wings and flew to the knight's courtyard.

In the courtyard both brothers were lying. Both cold as dead bodies, white as kerchiefs.

The white duck rushed to them, spread her wings over them, howled with the mother's voice:

Quack, quack, my little kids,
Quack, quack, my little doves!
I raised you in need,
I fed you with tears,
I never slept at dark nights,
I didn't eat a sweet lump.

— Жена, слышишь небывалое? Утка приговаривает.

— Это тебе чудится! Велите утку со двора прогнать.

Ее прогонят, она облетит да опять к своим деткам:

Кря, кря, мои деточки,
Кря, кря, голубяточки!
Погубила вас ведьма старая,
Ведьма старая, змея лютая,
Змея лютая, подколодная
Отняла у вас отца родного,
Отца родного — моего мужа,
Потопила нас в быстрой реченьке
Обратила нас в белых уточек,
А сама живет-величается!

«Эге?» — подумал князь и закричал: — Поймайте мне белую уточку.

Бросились верные слуги ловить уточку, а белая уточка летает и никому в руки не дается.

Выбежал князь сам, она к нему на руки пала.

Взял он ее за крылышко и говорит:

— Стань белая береза у меня позади, а красная девица впереди!

Белая береза вытянулась у него позади, а красная девица стала впереди, и в красной девице князь узнал свою молодую княгиню.

Тотчас поймали сороку, подвязали ей два пузырька, велели в один набрать воды живящей, в другой — говорящей.

Сорока слетала, принесла воды. Сбрызнули деток живящею водою — они встрепенулись, сбрызнули говорящею — они заговорили.

И стала у князя целая семья, и стали все жить-поживать, добро наживать, худо забывать.

А злую ведьму привязали к лошадиному хвосту, размыкали по полю: где оторвалась нога, там стала кочерга, где рука — там грабли, где голова — там куст да колода.

«Do you hear, my wife, oddly things are going on! The duck is speaking with a human's voice».

«You seem to hear this! Let the duck out of the courtyard!»

The duck was driven out but she flew back to her kids again.

Quack, quack, my little kids,
Quack, quack, my little doves!
We were undone an old witch,
By an old witch, by a hurtless bitch,
That mean shake-in-the-grass
She took away your father,
She put us in the swift stream,
Who is my husband and your father,
She drowned us in a running river,
And she turned us into white ducks.

«What could this mean?» the knight thought. «Catch this white duck for me.»

Everybody rushed to catch the white duck. But the duck was flying and didn't let anybody touch her.

The knight ran out himself and she fell into his hands.

He touched her wing and said,

«White birch tree stay behind me and the lovely maiden stay in front of me.»

The white birch stood in behind him and a lovely maiden showed up in front of him. And he recognised his young princess at once.

A magpie was caught at once and it was ordered to fill two phials, which had been tied up to it, with water of life and water of speech.

The magpie flew there and brought the waters. The kids were sprinkled by the water of life and they shaked their wings. They were sprinkled by the water of speech and they began to speak.

So the knight obtained his family again. They began to live good and prosper and forget the bad times.

As to the witch, it was tied up to the horse's tail and dragged over a wide field. Where her leg was torn off, a fire iron grew out. Where the hand was torn off, a rake grew out. Where her head was torn off, bushes grew.

Налетели птицы — мясо поклевали. Поднялись ветры — кости разметали, и не осталось от злой ведьмы ни следа, ни памяти!

Many birds swooped down and pecked the witch's flesh off. The wind dispersed the bones. Neither trace or memory of her remained in the world!

СОДЕРЖАНИЕ
CONTENTS

Русские народные сказки

На английском языке с
параллельным текстом на
русском языке.

Для среднего и старшего
школьного возраста.

Редактор Б. Акимов
Художественный редактор А. Храмков
Технический редактор Л. Афонина
Компьютерная верстка А. Кувшинникова

ООО Издательство «Литература»
113149 Москва, ул. Азовская, д. 6, корп. 3
Лицензия ЛР № 064527 от 11.04.96 г.
Подписано в печать 1.04.98 г. Формат 60 X 90 1/8
Гарнитура Гельветика. Бумага офсетная № 1.
Печать офсетная. Объем 11 п. л. Тираж 10 000 экз. С-012 Заказ № 2071.

Тверской ордена Трудового Красного Знамени
полиграфкомбинат детской литературы им. 50-летия СССР
Государственного комитета Российской Федерации по печати
170040 Тверь, проспект 50-летия Октября, 46.